MILLE ANS DE CONTES

INDIENS D'AMÉRIQUE DU NORD

MILAN
jeunesse

DANS LA MÊME COLLECTION :

Mille ans de contes – Animaux
Mille ans de frissons
Mille ans de poésie
Mille ans de contes classiques
Mille ans de contes – tome 1
Mille ans de contes – tome 2
Mille ans de chansons traditionnelles
Mille ans de contes arabes
Mille ans de contes – mer
Mille ans de contes – mythologie
Mille ans de contes – nature
Mille ans de contes pour rire
Mille ans de théâtre
Mille ans de contes – Tsiganes

Cet ouvrage a été réalisé par les Éditions Milan avec la collaboration de Géraldine Krasinski
Création graphique de la couverture : Bruno Douin

ISBN : 978.2.7459.3163.4

Dépôt légal : 1er trimestre 2008
Imprimé en Espagne

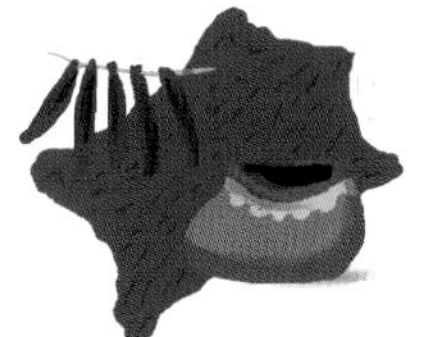

MILLE ANS DE CONTES

INDIENS D'AMÉRIQUE DU NORD

Illustration de couverture :
Christian Guibbaud

Illustrations intérieures :
Christian Guibbaud
Muriel Kerba
Fabrice Turrier

Textes rassemblés et rédigés par :
Ka-Be-Mub-Be / William Camus

MILAN
jeunesse

SOMMAIRE

AVANT TOUT

DIS, TU ME RACONTES UNE HISTOIRE ?

Une histoire à raconter tous les soirs pendant des années, cela fait beaucoup d'histoires. Une histoire gaie pour les jours de pluie, une histoire de loup pour le plaisir d'avoir peur bien au chaud dans son lit, une histoire courte quand Papa est pressé, une histoire longue parce qu'on a été très sage... cela fait beaucoup d'histoires différentes. Pour répondre à la demande des enfants quels que soient leur âge, leur goût ou leur humeur, nous avons composé un recueil de contes extrêmement variés : on y trouvera des histoires de famille (*La femme qui ne voulait pas aider son mari...*), de guerriers et de Braves (*Les Plus Valeureux...*), de bons esprits ou de mauvais génies (*Le Bon Génie du lac...*), de création du monde (*Le Commencement du monde...*), etc. Tous ces textes sont issus d'anciens mythes de tradition orale (ceux sur lesquels se fondent la tradition et les coutumes des Indiens d'Amérique du Nord). Certaines histoires, très longues, ont été soigneusement adaptées pour faciliter leur lecture à haute voix. D'autres contes ont été au contraire étoffés, par l'adjonction de dialogues, par exemple.
Notre but est d'offrir aux jeunes auditeurs des histoires toujours agréables à écouter.

Trois index (index alphabétique des contes, index des personnages, index en fonction du temps de lecture) et deux annexes vous sont proposés en fin d'ouvrage (annexe pédagogique et atelier créatif). Les index vous permettront d'aller piocher un personnage au gré des envies de l'enfant, mais également de gérer au mieux votre temps en choisissant une histoire en fonction de son temps de lecture. L'annexe pédagogique permet de comprendre ce qu'est le conte et

ce qu'il apporte à l'enfant. Afin d'approfondir le sujet de cet ouvrage, une partie traite plus particulièrement du conte indien et développe la différence entre mythe, fable et légende.
L'atelier créatif, quant à lui, permettra aux éducateurs de trouver des pistes pour inviter les enfants à créer leur propre version des contes indiens, comme le font les conteurs et les écrivains, et leur propre interprétation de lecture à haute voix. Ce patrimoine est universel. Chacun peut raconter les contes à sa guise, avec toutes les variations que lui inspire sa fantaisie, le seul critère étant la satisfaction de l'auditoire.

POURQUOI CONTER ?

Ce n'est pas un hasard si l'enfant est tellement avide d'histoires. Pour lui, l'heure du conte est un moment de tendresse, de plaisir et de connaissances : il s'en passe, des choses, dans les contes ! Parfois, on a même l'impression qu'ils contiennent trop de violence ou d'absurdités. Mais ce n'est là qu'une opinion récente. Depuis toujours, on considère au contraire que les contes sont la base de l'éducation morale.
De nos jours, les psychologues estiment que les contes aident l'enfant à résoudre les conflits affectifs : s'il se sent mal aimé comme le Brave du *Mystère de la carrière de la pierre à pipe*, ce conte le consolera en lui montrant que, finalement, il finira par être aimé et qu'il trouvera sa place dans la société. Il prendra confiance en lui-même en voyant que le jeune Brave des *Deux Filles et le Mauvais-Esprit* ou la squaw de *Fille-Bison et son ami le corbeau*, malgré leur « faiblesse », arrivent à vaincre le méchant génie ou à sauver toute la tribu de la famine.
Certains parents voudraient bannir les personnages qui, selon eux, font peur aux enfants. En fait, ces personnages sont très utiles. Ils permettent de donner un visage à l'angoisse. Les Manitoos, monstres et mauvais esprits arrivent à point pour permettre d'extérioriser cette angoisse. C'est d'eux que l'on a peur, bien sûr ! Alors on va les fuir, les battre,

les punir de cent façons. Et quand on s'en est débarrassé, on a le cœur soulagé. Parce que les fantômes n'existent pas ? Non, mais toutes ces grandes manœuvres prouvent à l'enfant que l'adulte tient à lui, qu'il le protège de tous les dangers, en un mot qu'il l'aime.
Les histoires sont aussi, pour l'enfant, un moyen d'exercer son intelligence. En les écoutant, il développe sa mémoire auditive et s'entraîne à retenir la structure d'un récit, premier pas vers la lecture intelligente, celle qui consiste à déchiffrer non seulement des signes mais surtout le sens d'un récit.

QUEL CONTE CHOISIR ?

La présentation du recueil est également conçue pour aider l'adulte dans son rôle de conteur. Chaque texte est précédé de renseignements symbolisés par un dessin :

Le nom de la tribu d'où provient le conte.

Durée moyenne en lecture continue, c'est-à-dire sans s'interrompre pour donner éventuellement des indications. Libre à l'adulte de jouer avec l'histoire, de la rallonger, de mimer, d'expliquer…

Une histoire de ruse ? Une histoire pour se moquer d'un tigre ? Une histoire pour avoir peur du loup ? Le thème de l'histoire est ici mentionné pour vous aider dans votre choix.

D'un coup d'œil, l'adulte peut visualiser si la durée du conte correspond au temps dont il dispose. En fin d'ouvrage, différents index faciliteront le choix du lecteur.

Le plaisir de conter nous a guidés tout au long de notre travail. Nous souhaitons qu'au fil des années, adultes et enfants ne cessent de partager ce plaisir.

UN AUTEUR VENU DU FROID

Voici ce que nous dit Ka-Be-Mub-Be/ William Camus qui a recueilli et rédigé ces textes :
« Ka-Be-Mub-Be est un Indien du Yukon, la province la plus au nord-ouest du Canada. Il fut élevé chez les siens, les Iroquois, avec les ours, les loups et les redoutables carcajous. Ka-Be-Mub-Be ne connaît pas la date exacte de sa naissance, il sait seulement qu'il est né au Jeune-Printemps de la-Belle-Saison près de la rivière Klondike, un affluent du Yukon, le long fleuve Porku-Peene, l'Eau-qui-Charrie-des-Glaçons, comme on le nomme en iroquois.
Les lois de la tribu, le parcours de la vie, la notion du bien et du mal, et beaucoup d'autres choses encore, lui furent enseignés à l'aide des légendes que lui contait son père le soir autour du feu. Cet enseignement, fait d'ouverture sur le monde, lui communiqua l'essence de l'acquis dont il allait avoir besoin pour vivre dans cette rude contrée où la température atteint moins 60° C durant la-Saison-Triste et peut descendre jusqu'à moins 75° C, lorsque souffle le Chinook, ce vent froid qui vient du pôle Nord.
Après qu'il eut vu tomber sa huitième neige, il quitta sa condition de Pa-Poo-Se (jeune enfant) pour atteindre celle de Ou-Ti (adolescent). Son père, Cet-Homme, comme il l'appelait, lui confia alors son meilleur traîneau et un attelage composé de six huskies infatigables.
Dès lors, Ka-Be-Mub-Be put se lancer à l'assaut des grands espaces glacés, souvent recouverts d'une couche de neige de dix à quinze mètres d'épaisseur. Il posa des pièges, subsista par ses propres moyens, courut sur des raquettes à neige lorsque la « poudreuse » recouvrait la piste,

et protégea les pattes des chiens de mocassins en peau de phoque quand elle se parait de « cristalline ». Cet-Homme lui apprit encore à chasser de son langage les adjectifs possessifs qui laissent penser à l'homme que tout lui appartient. « Mes » chiens, « mon » traîneau, « ton » fusil devinrent donc « ces » chiens, « ce » traîneau, « ce » fusil. « Mon » père devint « Ce-Père ». Ce-Père lui enseigna à ne jamais éprouver de respect pour personne car ce faux sentiment laisse croire qu'un homme peut être supérieur à son prochain. En revanche, il lui dit de ne jamais réprimer son admiration envers un être exceptionnel afin de se transcender en l'imitant. Muni de cette formation indispensable, ancestrale et culturelle, venue de la nuit des temps, Ka-Be-Mub-Be gagna en endurance. Enfin, armé de ce sens profond des réalités qui forge le tempérament et fait accepter l'impossible, il affronta la vie et sut vaincre les difficultés. Le jeune Iroquois devint même le meneur d'une meute de vingt loups hargneux. Il venait de voir tomber sa huitième neige.

Déraciné, arraché à ses attaches par Cette-Mère qui voulait faire de lui un Peau-Rouge-Savant, Ka-Be-Mub-Be quitta la rivière Klondike, les monts Ogilvie, et, *via* Anchorage, débarqua en Europe. Pour cet état civil pointilleux et tatillon jusqu'au ridicule, il devint William Camus alors qu'il ne connaissait toujours pas la date de sa naissance. Il ignorait qu'il courait sur ses onze ans ! Mais, épris de ses chères traditions, Ka-Be-Mub-Be/William Camus rebroussa chemin dès sa dix-huitième année. Quand il eut l'Âge-d'Homme, il entreprit aussitôt de sillonner le Canada, les États-Unis et le Mexique à la recherche des légendes qui avaient bercé son enfance et construit sa personnalité. Il recueillit les anciennes recettes de la bouche même des vieux sages, les Gardiens-des-Grandes-Choses-Passées disent les Iroquois, et les traduisit. »

Aujourd'hui, William Camus prétend avoir sauvé la quintessence de ce qu'il estime « être le principal » et nous livre le suc d'une culture sauvée *in extremis*.

À PROPOS DES TERMES « INDIEN » ET « PEAU-ROUGE »

Le mot « Indien », désignant les habitants autochtones du continent américain, fut utilisé pour la première fois par Christophe Colomb, lorsqu'il aborda aux Bahamas en se croyant aux Indes.
Les autochtones s'enduisaient le corps avec la sève rouge d'une plante pour se protéger des piqûres d'insectes. Les colons qui arrivèrent par la suite les surnommèrent « Peaux-Rouges », croyant qu'il s'agissait de la couleur naturelle de leur peau.

DANS LA COUR DE CRÉATION

LE COMMENCEMENT DU MONDE

ILLUSTRÉ PAR FABRICE TURRIER

LÉGENDE DE LA TRIBU DES MANDAN

12 MINUTES

POUR FAIRE POUSSER DE L'HERBE

Lorsque le Grand-Esprit décida de mettre des hommes sur la Terre, il créa en premier les Indiens Mandan. Afin qu'ils n'aient pas froid à la Lune-de-la-Saison-Triste, et pas trop chaud durant la Lune-des-Oiseaux-qui-volent-vers-le-Sud, il les plaça dans une caverne sous l'écorce terrestre.
Au centre de la grotte, une plante se mit à pousser dès le premier jour. Après plusieurs saisons, elle était si haute qu'elle touchait presque le plafond de la grande voûte.
Regarde-la-Lune était un jeune Brave de la tribu. On lui avait donné ce nom parce qu'il regardait constamment la plante pousser. Le nez en l'air du matin au soir, il ne faisait rien d'autre car il ne pouvait en détacher ses yeux. Pendant cent ans, il contempla le végétal à mesure qu'il s'élevait.

La mère de ce jeune homme se nommait Feuille-Sèche. Elle était devenue la risée de toute la tribu.
Chacun lui disait toutes les fois qu'il la rencontrait : « Vois ton fils, vieille femme. Il est juste bon à fixer la plante au cours des ans. Ne sait-il pas chasser ou jouer aux osselets ? »
Mais Feuille-Sèche se moquait des sarcasmes. Un ver caché dans son foie [1] lui disait que, dans l'avenir, Regarde-la-Lune deviendrait un grand homme.
Lorsque la plante atteignit le plafond de la grotte, elle y fit un trou. Et comme elle montait encore par l'orifice, Regarde-la-Lune se demanda où elle pouvait bien aller. Un soir, il réunit ses amis et déclara :
– J'ai dans l'idée que cette plante nous montre le chemin que nous devons suivre. Je vais l'escalader pour m'en assurer. Que ceux qui le veulent m'accompagnent !
Une dizaine de Mandan dirent qu'ils voulaient être du voyage. Il y avait parmi eux un nombre égal de jeunes gens et de jeunes filles.
– C'est très bien ! s'écria Regarde-la-Lune. Vous êtes tous très courageux. Constituez des réserves alimentaires. La route sera longue et certainement semée d'embûches. Prenez aussi vos arcs, vos lances et vos boucliers.
O-Kee-Hee-De, la première femme du sorcier, vivait encore à cette époque. Un génie malfaisant l'habitait. C'est pour cela que, dans la tribu, tous l'appelaient Mauvais-Esprit.
Quand l'expédition fut prête à partir, Mauvais-Esprit alla trouver Regarde-la-Lune et lui dit :
– Emmène-moi. Je veux tenter l'aventure avec vous.
Le jeune Brave ne put retenir son rire.
– Es-tu folle, Mauvais-Esprit ? Tu es bien trop grosse, la plante ne supporterait pas ton poids. Regarde, la graisse de tes mollets tombe sur tes pieds et ton ventre fait trois fois le tour de ta ceinture. Seuls les plus agiles réussiront à gagner le sommet.

1. Foie : chez les Indiens, le foie est le siège de l'émotivité et des sentiments humains. Le ver peut être considéré comme la voix de la conscience.

Mauvais-Esprit fit celle qui n'avait pas entendu, mais elle jura bien qu'elle se vengerait.

Le matin du départ, les parents des jeunes gens vinrent les encourager. Feuille-Sèche dit à son fils :

– Si tu as besoin de quelque chose en route, appelle-moi. Je resterai au pied de la plante jusqu'à ce que tu redescendes.

Le jeune Brave remercia sa mère et partit avec ses amis.

Ils montèrent durant quatre saisons. Chaque soir, Regarde-la-Lune jetait un regard derrière lui et contemplait la petite tache que faisait sa mère au pied de l'arbre. C'est ainsi qu'il calculait la distance parcourue dans la journée. Or, un soir, Regarde-la-Lune ne vit plus rien. Il dit à ses amis :

– Ma mère est trop loin, elle ne pourra plus nous aider en cas de besoin. Nous devrons maintenant puiser notre courage en nous-mêmes.

La progression était harassante. La plante était un épineux et ses dards écorchaient les mains. Plus les jeunes Mandan s'élevaient, plus le feuillage s'épaississait et plus la montée devenait pénible.

Un matin, le tronc de la plante apparut aussi lisse que la hampe d'une lance. Un Mandan se lamenta :

– Nous allons glisser sur ce bois dépourvu d'aspérités. Nous ne pourrons jamais atteindre les hautes branches.

C'est alors que Regarde-la-Lune aperçut une fourmi. Il l'interpella :

– Salut à toi, sœur fourmi ! Dis-nous un peu, comment fais-tu pour gambader sur ce tronc sans tomber ?

L'insecte sourit malicieusement.

– C'est que j'ai des crochets aux pattes, vois-tu. Ils me permettent de m'agripper à la fibre de bois.

– Nous, les Mandan, nous n'en avons pas, déclara Regarde-la-Lune. Accepterais-tu de nous les prêter pour passer cet endroit difficile ?

La fourmi pleura :

– Ce serait avec plaisir, mais hélas cela est impossible. Je dois les avoir constamment sur moi afin de fuir les attaques des abeilles. Ces vilaines me pourchassent dès qu'elles me voient et je ne dois la vie qu'à ces crochets.

– Je vais arranger cela ! assura Regarde-la-Lune. Indique-moi où habitent ces abeilles, je vais leur faire voir qui je suis.
La fourmi désigna une touffe de feuilles avec son antenne :
– La ruche est là, calée au creux d'une fourche.
Regarde-la-Lune demanda à ses amis de l'attendre et courut jusqu'au lieu désigné. Là, il frappa la ruche du poing en criant :
– Ohé ! N'y a-t-il personne dans cette cabane ?
Une abeille guerrière sortit et s'enquit :
– Que désires-tu, étranger ? Veux-tu bien cesser de secouer notre maison !
– Je veux parler à votre reine ! répliqua Regarde-la-Lune. Va la chercher, je suis pressé !
– Elle dort.
– Alors, réveille-la ! s'exclama le jeune Brave. Dis-lui que j'ai à l'entretenir d'une affaire urgente.
Réveillée en sursaut, la reine sortit à son tour. Elle interrogea l'abeille guerrière :
– Qui fait tout ce tapage ? Est-ce cet homme qui est la cause de ce désagrément ?
– Oui, c'est moi ! déclara Regarde-la-Lune. J'apprends que tu tracasses mon amie la fourmi. Je suis venu te dire de la laisser tranquille.
– Sais-tu que nous pourrions te piquer et te faire très mal ? menaça la reine des abeilles.
Regarde-la-Lune se mit à rire.
– Vous ne pouvez rien contre moi, j'ai mon bouclier ! Tu vas faire le serment de ne plus attaquer la fourmi. Sinon, je coupe cette branche avec ma lance et ta ruche tombera dans le vide.
La reine réfléchit le temps de fumer une pipe, et dit :
– C'est bon. J'accepte de faire la paix avec ta protégée. Fais-lui savoir que nous allons organiser une grande fête pour célébrer la fin des hostilités.
La fête eut lieu le soir même. Les mets furent abondants et variés. Les jeunes Mandan en profitèrent pour reprendre des forces.

L'abeille et la fourmi échangèrent des présents et devinrent amies. Après la cérémonie du calumet [2], la fourmi prêta ses crochets à Regarde-la-Lune. Celui-ci les fixa à ses mocassins et dit à ses amis :

– Montez sur mes épaules. Je vais vous faire franchir le passage difficile.

Ainsi fut fait car Regarde-la-Lune était très robuste.

Parvenu aux hautes branches, le jeune Brave confia les crochets à un corbeau pour qu'il les rende à la fourmi.

Et la montée continua. Quand les Indiens arrivèrent à l'endroit où la plante perçait le plafond de la grotte, une jeune fille se lamenta :

– Nous sommes au sommet de la caverne, nous ne pourrons jamais aller plus loin.

Regarde-la-Lune inspecta les lieux et déclara :

– J'aperçois un léger espace entre la roche et l'écorce de la plante. Nous allons nous y introduire et continuer notre escalade.

Ils cheminèrent encore péniblement pendant trois lunes. L'espace dans lequel ils se glissaient était très étroit et la paroi rocheuse leur arrachait la peau du dos.

Enfin, au début de la quatrième lune, ils arrivèrent à l'air libre. Sur la surface de la terre un spectacle grandiose les attendait. Il était fait de hautes montagnes de granite, de larges vallées au milieu desquelles serpentaient des fleuves aux reflets d'argent.

Lorsque les yeux extasiés des Mandan se furent rassasiés du panorama, Regarde-la-Lune remarqua :

– C'est un très beau paysage, mais l'endroit est invivable. Nulle part il n'y a trace de végétation.

La jeune fille recommença à se lamenter :

– Nous allons mourir de faim. Comment y aurait-il des bisons dans cette contrée puisqu'il n'y a pas d'herbe ?

Déçu, lui aussi, Regarde-la-Lune décida :

– Nous allons nous reposer et nous redescendrons vers notre tribu.

2. Calumet : le calumet est une pipe sacrée que l'on fume lors de cérémonies particulières.

À ce moment précis, au centre de la terre, Mauvais-Esprit n'avait pas renoncé à suivre la petite troupe…
Elle agrippa une branche basse de la plante et commença l'escalade. Mais Mauvais-Esprit était si grasse et si lourde que le bois craquait à chacun de ses mouvements. Plus elle montait et plus la plante pliait en faisant entendre des bruits sinistres. À mi-chemin, la plante se rompit brusquement sous le poids de la grosse femme. Mauvais-Esprit dégringola. Elle ne mourut pas de sa chute mais elle se fit une grosse bosse au front.
Le chef de la tribu fut très fâché car aucun Mandan ne pouvait plus rejoindre les jeunes aventureux à la surface du monde.
De son côté, Regarde-la-Lune avait le souci contraire, il s'écria :
– Maudite soit cette grosse femme ! Maintenant qu'elle a cassé la plante il nous est impossible de redescendre vers nos familles.
La jeune fille se lamenta une nouvelle fois :
– Ici nous ne pouvons cueillir aucune baie. Je ne vois nulle part de fraises sauvages. Il n'y a pas d'arbres fruitiers. Nous allons mourir de faim.
– Tais-toi ! ordonna Regarde-la-Lune. Après tout, ceux d'en bas peuvent peut-être nous aider.
Il se pencha au-dessus du trou et appela :
– Ohé, ma mère ! M'entendez-vous ?

Feuille-Sèche était toujours au pied de la plante. Elle reconnut la voix de son fils et cria à pleins poumons en direction de la voûte :
– Je suis ici, Regarde-la-Lune ! Que veux-tu ?
– La plante a disparu. Nous ne pouvons plus vous rejoindre.
– Dans ce cas, il ne vous reste plus qu'à vivre là-haut.
– C'est impossible, ma mère. Il n'y a aucune végétation sur ce sol.
– Patientez ! répliqua Feuille-Sèche. L'herbe finira bien par sortir de terre un jour ou l'autre, je vois les racines qui pendent jusque dans notre grotte.
Le jeune Brave se tourna vers ses compagnons.
– Aidez-moi, vous autres. Appelez vos mères. Il est impossible qu'elles ne fassent pas quelque chose pour nous.
Les jeunes Mandan se placèrent alors autour du trou et crièrent tous ensemble :
– Aidez-nous, nos mères ! Ayez pitié de nous ! Sans vous nous ne sommes rien !
Ces cris furent entendus par toutes les mères de la caverne. Émues, elles se réunirent autour de Feuille-Sèche.
Celle-ci leur dit :
– Seule je ne pouvais rien faire, mais à nous toutes, nous allons sauver nos enfants. Que chacune de vous prenne l'extrémité d'une racine dans sa bouche et souffle dedans très fort.
Et les mères soufflèrent toutes ensemble pour faire monter la sève.
Le résultat ne se fit pas attendre. Sous les yeux émerveillés de Regarde-la-Lune et de ses amis, de petites pousses crevèrent la surface de la terre. Devant cette réussite, les jeunes Mandan crièrent de plus belle par le trou :
– Soufflez encore, nos mères ! Les plaines verdissent et des arbres sortent du sol. Soufflez plus fort, nos mères, nous apercevons déjà des bourgeons !
Dans la caverne d'en bas, les femmes mandan soufflèrent tellement dans les racines que le monde se para d'herbe, de fleurs, d'arbres et de buissons.

Des oiseaux bâtirent aussitôt leur nid dans les ramures et une grande quantité de bisons vinrent brouter dans la grande plaine. Le vent inventa une chanson en agitant les feuilles des arbres. Charmé de l'entendre, Regarde-la-Lune décida de bâtir un village sous les branches d'un érable gigantesque. Le jeune Brave devint le chef de cette nouvelle tribu et fut très honoré par tous les Mandan.

Aujourd'hui encore, un trou s'enfonce profondément dans le sol au centre de la grande place de ce village. Chaque année, à la fin de la Lune-de-la-Saison-Triste, un jeune se penche au-dessus de la cavité et crie :
– Aide-moi, ma mère ! Communique ton souffle à la terre !
Aucune voix ne lui répond. Mais les jours suivants, les plaines verdissent et la nature est en fête.
Voici pourquoi, de nos jours, les Mandan disent « Notre Mère » en parlant de la terre.

POUR ALLER PLUS LOIN

Les Mandan ne voient, dans le début du monde,
que son côté merveilleux. Ce monde plein de promesses
leur apparaît en rêve comme le Pays-des-Chasses-Éternelles
dont ils bénéficieront après la mort.

À L'AUBE DE LA NAISSANCE DU MONDE

ILLUSTRÉ PAR CHRISTIAN GUIBBAUD

LÉGENDE DE LA TRIBU DES SIOUX (DAKOTA)

5 MINUTES

POUR NE PLUS ENTENDRE JACASSER

Il semble impossible de situer l'endroit où se passa l'événement car, à cette époque, l'Être-Éternel n'avait encore rien créé. Nulle part il n'y avait d'eau, de fleurs, de montagnes et d'arbres. La terre n'existait même pas. Un esprit passa, voulut s'arrêter, battit longtemps des ailes et ne trouva pas la moindre branche pour se poser.
L'Être-Éternel prit conscience du dénuement de l'Univers. Un matin, il regarda le néant et le trouva triste à mourir… Il décida donc d'inventer le monde et se mit à la tâche sur-le-champ.
Durant trois jours, il travailla avec acharnement : il peignit la lune en blanc, astiqua le soleil et accrocha toutes les étoiles au firmament. Mais il n'était pas satisfait et, avisant deux tortues, il leur intima :
– Donnez-moi vos carapaces. Je vous en fabriquerai d'autres plus tard.

Les tortues lui firent confiance et se déshabillèrent aussitôt. Elles lui abandonnèrent leur carapace et allèrent jouer à la courte paille un peu plus loin.
L'Être-Éternel s'empara des deux carapaces, les mit l'une contre l'autre, obtint une boule bien ronde. Il la lança dans l'espace et s'estima satisfait. La Terre était créée.
La végétation germa pour ainsi dire d'elle-même et les rivières coulèrent presque toutes seules.
Les lieux étaient maintenant plus agréables à voir. Mais l'Être-Éternel n'avait personne à qui parler, aussi trouvait-il l'existence monotone.
Il se dit qu'il était temps de créer les êtres humains.
Il édifia une carcasse en osier et dit :
– Ce sera le squelette.
Puis, il recouvrit sa construction de glaise. Et dit encore :
– Ce sera la chair.
L'Être-Éternel enveloppa le tout dans une fine peau et donna vie à son œuvre en la frappant avec un roseau jusqu'à ce qu'elle bouge. Et puisque sa création ne lui déplaisait pas, il décida de fabriquer la paire. Il se remit au travail et fit un deuxième être en tout point semblable au premier. Il s'essuya les mains, contempla les deux spécimens, et déclara :
– Ils doivent parler si je veux converser avec eux. Mais pour cela il me faut demander l'aide de mon ami l'Esprit-du-Bruit.
Ce dernier était drôlement bâti. De forme allongée et souple, il semblait ramper sur le sol au lieu de se déplacer normalement. Il ne ressemblait

pas à un serpent, ni à une grosse limace. C'était quelque chose d'autre. De plus, un bruit infernal résonnait constamment au fond de ses entrailles. Toute sa vitalité siégeait en cette partie de son long corps.

Quand l'Esprit-du-Bruit vit les créatures que l'Être-Éternel avait mises sur terre, il ne les trouva pas très belles mais il s'en accommoda. Il les toucha du bout de son interminable queue. Immédiatement les créatures se mirent à parler, à parler, à parler…

L'Être-Éternel avait commis une double erreur : il venait de créer deux femmes et il avait demandé à l'Esprit-du-Bruit de leur donner la parole.

Alors, abasourdi par ce bourdonnement perpétuel, l'Être-Éternel décida :

– Je vais confectionner deux hommes. Ils épouseront ces femmes et les emmèneront certainement vivre un peu plus loin, hors de mon ouïe.

Le Génie-du-Silence était lui aussi incommodé par l'incessant bavardage des deux femmes. Il aida l'Être-Éternel afin que les travaux fussent terminés plus vite.

À peine fabriqués, les hommes épousèrent en effet les deux femmes et partirent très loin avec elles. L'endroit redevint calme et les trois esprits en furent très heureux.

Mais peu de temps après, les hommes revinrent. Ils gémirent :

– Fais quelque chose pour nous, Être-Éternel. Nos femmes n'arrêtent pas de jacasser et nous insultent lorsque nous réclamons le silence. Aie pitié. Nous te serons reconnaissants à tout jamais.

– Je ne peux rien faire pour vous, répondit l'Être-Éternel. À votre place, j'irais consulter Ennemi-du-Bruit. Il vit là-bas sous cette tente.

Les hommes coururent vers l'endroit indiqué.

Ennemi-du-Bruit était un être bizarre. Démuni de bras, son corps possédait une multitude de pattes. Il ne ressemblait ni à un crabe ni à une araignée. C'était quelque chose d'autre.

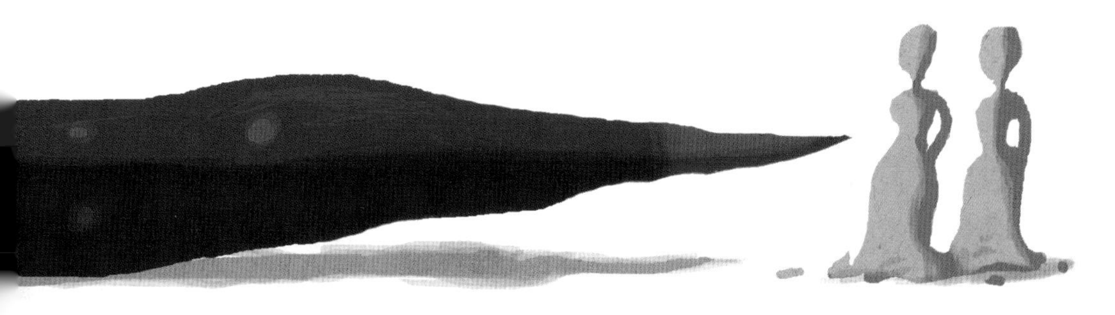

Ennemi-du-Bruit écouta les doléances des pauvres hommes et pleura de compassion. Ensuite, il accepta de leur venir en aide. Il grimpa le long des infortunés, atteignit leurs épaules et se cramponna à leur cou. Ensuite, il introduisit ses longues pattes dans leurs oreilles et se livra dans chacune d'elles à une mystérieuse besogne.

Lorsque ces hommes regagnèrent leur maison, les femmes parlaient toujours autant mais ils s'en moquèrent éperdument. Ils ne les entendaient plus !

Les Sioux connurent l'histoire. Aujourd'hui encore, il est beaucoup de Braves pour feindre d'avoir les deux tympans crevés.

Depuis cet événement, l'Être-Éternel a pris la forme d'un aigle et vit dans la quiétude, loin du monde, loin des créatures qu'il avait conçues quelque temps avant.

LE PAYS DES HOMMES

ILLUSTRÉ PAR MURIEL KERBA

LÉGENDE DE LA TRIBU DES IROQUOIS (SENECA)

8 MINUTES

POUR DISCERNER LE BIEN DU MAL

Trois Indiens vivaient en une lointaine contrée.

En ce lieu désolé, entre la lune et le soleil, il n'y avait rien, sinon de gros nuages. Un soir, les trois amis s'installèrent autour d'un feu afin de discuter d'un grave problème. Le plus grand des trois se nommait Ka-na-ga. Il déclara :

– Nous ne pouvons plus vivre en une telle contrée. Ici, il n'y a pas d'arbres, pas de rivières, pas de gibier.

– Tu as raison, dit le plus petit des trois Indiens. Ce pays est réellement trop inhospitalier, le soleil nous grille la face pendant que la lune nous gèle le dos.

– Et puis, ajouta le moyen, à marcher sur ces doux nuages, nos pieds se ramollissent. Bientôt, nous ne pourrons plus courir et nous ne vaudrons plus rien.

– Nous devons partir d'ici ! décida Ka-na-ga. Suivez-moi, il doit bien y avoir un endroit plus agréable dans le vaste monde.
Les trois compères furent vite d'accord. Le plus petit éteignit le feu avec des gouttes de rosée et le moyen dispersa les cendres à l'aide d'un cil de la lune. Mais au moment de partir, le petit objecta :
– Tout cela est bien beau, comment allons-nous voyager ? Nous ne possédons ni chien ni traîneau. Nous n'avons même pas de raquettes à nous mettre aux pieds pour nous déplacer sur la neige poudreuse de ces nuages.
Une tortue passa.
– J'ai une idée ! clama Ka-na-ga.
Et il interpella l'animal :
– Dis-moi, grosse tortue, toi qui ne cesses d'aller d'un bout de l'Univers à l'autre, sais-tu s'il existe une contrée moins désertique que celle-ci ?
La tortue réfléchit toute une saison et dit :
– Il y a un millier de lunes, j'ai parcouru un pays habité par des hommes. Il se trouve là-bas, vers l'ouest. Cependant, je ne vous conseille pas d'y aller car c'est un endroit très dangereux.
– Crois-tu que nous ayons peur ? répliqua Ka-na-ga. Nous allons grimper sur ton dos et tu vas nous y mener.
La tortue émit un si gros rire que le ciel trembla.
– Êtes-vous fous ? Cela est impossible ! C'est très loin, et je marche si lentement que vous seriez morts à moitié chemin.
Et la tortue s'éloigna de son pas tranquille.
Un renard sortit d'entre deux lambeaux de brume.
– Ohé, renard ! appela Ka-na-ga. N'es-tu pas réputé pour courir très vite ?
– Si fait, répondit l'animal avec orgueil. Nul n'est plus rapide que moi à la course.
– Tant mieux. Nous allons utiliser tes compétences, dit Ka-na-ga. Tu vas nous conduire où vivent d'autres hommes. Et n'hésite pas à filer comme l'éclair, nous nous cramponnerons à ta fourrure.

Le renard réfléchit à cette proposition le temps d'une saison. Puis il partit d'un rire si grinçant que deux nuages se fendirent et tombèrent en morceaux.
– Vous ne pourriez tenir dans cette position pendant tout le voyage. Ne savez-vous pas que je perds mes poils chaque automne ? Au moment de ma mue vous tomberiez dans le vide.
Et le renard détala en se cachant derrière sa queue.
Un aigle planait dans le ciel en chantant une berceuse.
Ka-na-ga hurla dans sa direction :
– Écoute-moi un instant, frère aigle. Viens un peu ici, nous avons à te parler.
Dans un énorme bruissement d'ailes, l'aigle se posa devant les Indiens. Une si forte tempête s'éleva que les trois amis durent nouer leurs bras autour des pattes de l'oiseau pour ne pas s'envoler.
– Ne fais pas tant de vent, gentil aigle, recommanda Ka-na-ga. Dis-nous plutôt si tu acceptes de nous transporter au pays où habitent d'autres hommes.
L'oiseau tourna cette idée dans sa tête durant tout un hiver et l'été qui suivit. Puis, il déclara :
– À mon avis, vous êtes bien mieux ici. Toutefois, si vous désirez prendre le risque de pénétrer en ce pays, je peux vous y mener. Agrippez-vous aux plumes de mon cou car mon vol est si puissant que vous pourriez glisser de mes ailes.
L'aigle s'éleva dans les airs et, plus rapidement qu'une flèche, fila vers l'ouest.
Un vent glacial sifflait aux oreilles des trois Braves. Tout ce que l'oiseau survolait se changeait aussitôt en glace, car l'aigle était en réalité le père de toutes les bourrasques.
Le voyage dura plus de siècles qu'il n'y a de doigts sur deux mains. Lorsque la lune et le soleil ne furent plus que de petites boules, pas plus grosses que les yeux de la taupe, une grande étendue verdoyante apparut sous la poitrine de l'oiseau. C'était un endroit magnifique. Il y avait des arbres,

des rivières et du gibier en abondance. Il y avait aussi des hommes ! Mais au lieu de s'abriter du soleil sous les arbres, de se baigner dans les rivières et de chasser pour manger, ils se disputaient, se battaient et s'entretuaient.

– Je vous l'avais bien dit ! remarqua l'aigle. Rien n'est plus risqué que de côtoyer ces hommes.

Les Braves furent dépités de voir un si bel endroit aussi peu apprécié par des êtres qui n'en avaient pas conscience. L'oiseau battit des ailes afin de freiner son élan et se posa sur le sommet d'une montagne. Instantanément, il neigea et le pic se couvrit de glace. L'aigle dit en riant :

– Cette montagne aura maintenant ses neiges éternelles. Elle est d'ailleurs bien plus belle avec des cheveux blancs.

Les Indiens furent de cet avis.

Ka-na-ga repéra une belette blottie au fond de son trou.

– Holà, sœur belette ! Pourquoi te caches-tu ainsi ? Aurais-tu peur de nous ?

– C'est vrai, j'ai peur, admit la belette. Les hommes sont si mauvais que je dois vivre continuellement au fond d'un terrier.

Les trois Braves caressèrent le petit animal pour lui montrer leurs bonnes intentions et l'apprivoiser. Lorsque la belette fut totalement rassurée, Ka-na-ga l'interrogea :

– Toi, belette, qui passes ton temps à observer les hommes de ton trou, dis-nous pourquoi ils sont aussi méchants.

– Ce n'est pas leur faute, répondit-elle. Jusqu'ici, personne n'a jamais pris la peine de leur expliquer ce qu'est le bien et le mal. Ils ne possèdent aucune légende à laquelle se référer afin d'apprendre à vivre en communauté.

– Eh bien, je vais inventer des légendes pour ces hommes ! décréta Ka-na-ga.

Il saisit un rayon de soleil, en fit un cercle et le suspendit à son cou à l'aide d'un lacet de cuir.

Enfin, il dit :

– Maintenant, tout ce qui aura la forme d'un cercle sera magique et sacré. Il me suffira de toucher du doigt cette puissante médecine qui pend sur ma poitrine pour que je prenne n'importe quelle apparence et que je puisse me transporter en n'importe quel endroit. J'en aurai besoin, car il me faudra parcourir bien du chemin et changer de corps très souvent.
Puis il se tourna vers le petit :
– Toi, tu te peindras en rouge, tu seras un bon génie.
Et vers le moyen :
– Toi, tu te peindras en noir, tu seras un mauvais génie. Chacun de vous deux exercera ses pouvoirs, car je crois qu'il faut laisser aux hommes la liberté de choisir entre le mal et le bien. Cette faculté s'appellera la « conscience » !
Et Ka-na-ga toucha de son cercle de lumière le bec de l'oiseau :
– Toi, l'aigle, tu survoleras constamment cette terre et enseigneras aux hommes de sages règles de conduite. Tu seras l'image vivante du Grand-Esprit !
Chacun partit dans une direction différente. Et c'est ainsi que Ka-na-ga parcourut le monde en inventant les légendes dont les êtres humains avaient besoin.

POUR ALLER PLUS LOIN

Pour explorer le pays qu'ils habitaient, beaucoup de Peaux-Rouges devinrent nomades, tels les Sioux, réputés pour leurs voyages, ou encore les Apaches qui s'adaptèrent à une vie d'errance occasionnelle. C'est également à l'écoute des Gardiens-des-Grandes-Choses-Passées, aux récits des prouesses réalisées par des héros de légende, que certains Peaux-Rouges préférèrent une existence itinérante plutôt que le confort de la sédentarité.

LES AUTRES HOMMES

ILLUSTRÉ PAR CHRISTIAN GUIBBAUD

LÉGENDE DE LA TRIBU DES MANDAN

8 MINUTES

POUR ÉVITER LE DÉLUGE

Cette étrange affaire se passa dans la tribu des Mandan, à la Lune-de-la-Belle-Saison, en cette deuxième partie du jour où le soleil se couche derrière la haute montagne.

Tout laissait croire que cette journée serait semblable aux autres quand soudain les chiens se prirent à hurler.

Un guetteur arriva et se mit à crier :

– Voici le Seul-Homme ! Il vient par la grande plaine !

Des hurlements fusèrent de partout et chacun se prépara comme pour un combat. Les chiens furent muselés et les poneys parqués dans les enclos. Les guerriers saisirent leur arc et leurs flèches et se postèrent sur une ligne en direction du soleil couchant. Les femmes, les enfants et les vieillards grimpèrent sur le toit des cabanes pour assister à la rencontre, afin de mieux la commenter plus tard.

À l'extrémité de la plaine, là où l'herbe se couche sous le vent, apparut un être extraordinaire. À n'en pas douter, il s'agissait d'un homme, mais il ne ressemblait en rien aux Mandan. Bien qu'il courût sur ses deux jambes comme les autres Indiens, son corps à peu près nu, entièrement recouvert d'argile, laissait croire qu'il avait la peau blanche. Sur la tête, il portait deux dépouilles de corbeaux, et quatre peaux de loups blancs pendaient sur ses épaules.

Bientôt, cette créature franchit les limites du camp et se dirigea vers la cabane centrale. Le chef de la tribu en sortit et lui demanda :

– Qui es-tu donc pour avoir cette apparence, ne vois-tu pas que tu effraies les chiens, les chevaux et les enfants ?

La créature répondit :

– Je suis Nu-Mohk-Muck-a-Nah, le Seul-Homme ! Je vous apporte la Nouvelle.

Rassurés, les femmes et les vieillards descendirent des toits des habitations. Tous s'approchèrent. Tous voulurent toucher le Seul-Homme afin d'imprégner leurs doigts de l'argile qui recouvrait sa peau, car ils savaient qu'il s'agissait d'une substance sacrée.

Le Seul-Homme ne parlait pas le langage des Mandan, cependant chacun le comprenait tant les sons sortant de sa bouche étaient mélodieux. Le sorcier voulut l'inviter sous sa hutte. Mais le Seul-Homme prit un air dégoûté et décréta :

– Je suis une créature habituée à plus de confort. Il m'est impossible de m'asseoir en un tel lieu. Cette cabane sent mauvais et le sol en est si dur que mon derrière en deviendrait calleux.
– Qu'importe, décida le sorcier, nous allons nettoyer cet abri en ton honneur et le rendre plus vivable.
Le sorcier appela ses femmes. Celles-ci réunirent des branches de saule et balayèrent. Puis, elles répandirent des fougères sur le sol et tapissèrent les murs de plantes aromatiques.
Après avoir minutieusement inspecté les lieux, le sorcier interrogea :
– Es-tu enfin satisfait ou veux-tu que nous te bâtissions une autre maison ?
– Celle-ci conviendra, dit le Seul-Homme.
Et il entra sous la hutte du sorcier. Le Seul-Homme fuma trois pipes. Lorsque le tabac de la dernière fut entièrement consumé, il décida :
– Je peux maintenant procéder à la Grande-Médecine. Amassez des crânes d'hommes et de bisons sur la place du village. Allumez aussi un feu avec des branches de chêne ; cependant, je vais aller faire un tour, car je ne puis assister à ces vils préparatifs.
Ce travail dura toute la nuit, tandis que le Seul-Homme se rendait de hutte en hutte. Devant chacune d'elles, il appelait les occupants, qui sortaient et lui demandaient :
– Que veux-tu, toi, l'étranger, qui as une si bizarre couleur de peau ? Es-tu fou pour importuner les gens de ce village en pleine nuit ? Tu épouvantes nos jeunes et tu inquiètes nos chiens et nos poneys.
À tous, le Seul-Homme répondit :
– Une terrible catastrophe a eu lieu de l'autre côté de la montagne. Il a plu si abondamment que l'eau a recouvert la terre. Je suis le seul homme sauvé du déluge. Une grenouille m'avait prévenu du cataclysme et m'avait engagé à construire un grand canoë. Grâce à cette embarcation, j'ai pu venir jusqu'ici. Sortez vite de vos cabanes et offrez-moi un outil aiguisé. Il sera sacrifié à l'eau. C'est avec un objet tranchant que j'ai creusé le grand canoë.

Toute la nuit, les Mandan réunirent couteaux, haches et lances, et les déposèrent dans la hutte du sorcier.

Le soir, la cabane était si encombrée que le sorcier dut aller se réfugier chez sa troisième femme.

Heureusement, elle vivait chez des parents qui avaient une maison à l'orée du village.

À la fin de cette fameuse nuit, personne n'aurait pu dire où avait dormi le Seul-Homme.

La veille, dès la tombée du soir, chacun avait rentré ses chiens et ses chevaux à l'intérieur de sa cabane et s'était barricadé. Un animal ayant passé la nuit dehors aurait pu apprendre à un être humain où avait reposé le Seul-Homme.

Au petit matin, le personnage extraordinaire plaça les Mandan en cercle autour de lui et leur dit :

– J'espère que personne n'a omis de placer un outil tranchant dans la hutte du sorcier. Si un seul d'entre

vous ne l'a pas fait, le déluge franchira le sommet de la montagne, l'eau inondera entièrement cette contrée et aucun de vous n'en réchappera.
Les Indiens s'écrièrent qu'aucun d'eux n'avait péché par avarice.
– Dans ce cas, vous ne risquez rien et c'est bien ainsi, conclut le Seul-Homme.
Puis, il exhiba un rameau et le tendit au sorcier.
– Cette branche vous rappellera mes paroles. Je l'ai cueillie de l'autre côté de la montagne avant la montée des eaux.
Le sorcier rangea précieusement la plante médecine sous sa hutte. Le Seul-Homme dit encore :
– Il me faut partir maintenant. Placez sur mon dos les armes destinées à l'offrande. Je dois aller au plus vite les jeter dans la mer pour apaiser les éléments.
Le tas était impressionnant. Une lune fut nécessaire afin de fixer solidement le chargement. À la fin du dernier jour, il ne resta plus aucun objet aiguisé dans la hutte du sorcier. Le Seul-Homme portait sur ses épaules le poids de trois bisons. Mais la créature à la peau recouverte d'argile était très résistante : dans ses veines coulait la sève du séquoia géant !
– Tout est-il bien en place ? demanda-t-il une dernière fois. Je ne dois absolument rien perdre en route.
Le sorcier affirma que chaque objet était parfaitement arrimé.
– C'est bon ! dit alors le Seul-Homme.
Et, de sa longue et souple foulée, il s'éloigna…

Lorsqu'il ne fut plus qu'un petit point à l'horizon, le sorcier déclara :
– Mes frères, la fête est terminée. Nous la renouvellerons tous les ans à pareille époque pour commémorer le passage de Seul-Homme dans notre tribu.
Depuis, l'événement est devenu une grande cérémonie qui donne lieu à de fastueuses réjouissances. Car aucun des Indiens n'avait menti.
Tous avaient participé à l'offrande et jamais le déluge ne s'abattit sur la contrée.

POUR ALLER PLUS LOIN

Les Mauvais-Esprits prennent toujours un aspect incongru et leurs méfaits sont innombrables. Toujours redoutables, ils cachent une kyrielle de maléfices que le Peau-Rouge craint et s'ingénie à combattre. Les offrandes destinées à apaiser les éléments sont courantes dans les communautés peaux-rouges pour qu'un Bon-Esprit les prévienne en cas de danger imminent.

COMMENT NAQUIRENT LES FAUSSES-FACES

ILLUSTRÉ PAR FABRICE TURRIER

LÉGENDE DE LA TRIBU DES IROQUOIS (ONEIDA)

6 MINUTES

POUR EFFRAYER UN ÊTRE EFFRAYANT

Cette affaire eut lieu il y a bien longtemps, en cette partie du cycle de la vie où la nature mue et laisse de mauvaises pensées entrer dans la tête des hommes.

Le Grand-Esprit venait tout juste de terminer le monde. Plaines, rivières, montagnes, forêts recouvraient la terre. Le Grand-Esprit avait aussi créé les hommes, et il se rendait de village en village afin de vérifier s'ils ne manquaient de rien. Pour mieux vaquer à ses occupations, Être-Éternel avait pris l'apparence d'un Indien. Chacun le connaissait et tous le nommaient Celui-qui-Est. Or un jour, en cherchant à se rendre chez les Oneida, Celui-qui-Est voulut traverser un ruisseau. Sur l'autre rive apparut un monstre. Tout son corps était recouvert de plaques d'écorce, ses cheveux ressemblaient à de la fibre végétale et un long nez déparait son visage.

– Quel est donc cet affreux personnage ? dit Celui-qui-Est sans s'adresser directement à l'étranger pour ne pas lui manquer de respect. Aurais-je créé une chose aussi abominable sans m'en apercevoir ?
– On me nomme Vieille-Souche-Pourrie ! rétorqua l'autre. Aurais-tu une idée pour traverser ce ruisseau sans se mouiller les pieds ?
– J'en ai une, répondit Celui-qui-Est.
Celui-qui-Est avait la force de l'ouragan. Il arracha un grand chêne et le jeta en travers du courant. Vieille-Souche-Pourrie sauta aussitôt sur le tronc.
– C'est parfait ! L'honneur me revient de passer le premier.
Il s'avança. Mais Celui-qui-Est monta lui aussi sur l'arbre.
À mi-chemin, Vieille-Souche-Pourrie et Celui-qui-Est se rencontrèrent.
– Nous allons nous croiser, dit le Grand-Esprit. Tiens mon bras et fais surtout attention de ne pas tomber.
Vieille-Souche-Pourrie s'y cramponna. Mais le bras de Celui-qui-Est était si chaud qu'il dut le lâcher bien vite. Alors, le Grand-Esprit gonfla fortement sa poitrine jusqu'à ce qu'elle recèle la tempête et souffla en direction du vilain bonhomme. Vieille-Souche-Pourrie vacilla et tomba à l'eau. Le ruisseau gela et les pieds de l'homme affreux se changèrent en glace.
– C'est bon, dit Vieille-Souche-Pourrie. Tu possèdes certainement une puissante médecine. Je vais aller dans ta direction et ainsi tu pourras me protéger en route.
Vieille-Souche-Pourrie marcha donc en compagnie de Celui-qui-Est. Ils allèrent durant quatre lunes sans se disputer car le Grand-Esprit avait réellement bon caractère. Ils parvinrent enfin au sommet d'une haute montagne. En bas, dans la vallée, se nichait le village des Oneida. Vieille-Souche-Pourrie contempla les Indiens un court moment, puis déclara sans vergogne :
– Voici ceux que j'ai créés.
– Voici ceux que j'ai créés, ajouta Celui-qui-Est. Je me souviens parfaitement avoir moi-même façonné ces Indiens.
– Je me souviens parfaitement leur avoir communiqué mes plus mauvais instincts, conclut Vieille-Souche-Pourrie.

– Qui es-tu donc ? interrogea le Grand-Esprit.
– Je représente tous les Esprits-de-la-Nuit. Ceux qui mettent de mauvaises choses dans la tête des hommes.
Celui-qui-Est réfléchit un court instant et déclara :
– Un de nous deux est de trop sur cette terre.
– C'est bien mon avis, dit le hideux bonhomme. Battons-nous et le plus fort gardera les êtres humains pour lui.
– Soit. Commençons immédiatement ! répliqua le Grand-Esprit avec un étrange sourire. Peux-tu incendier cette forêt rien qu'à l'aide de ton long nez ?
– Cela ne devrait pas être trop difficile. J'allumais déjà le feu de cette façon alors que je tétais encore ma mère.
Vieille-Souche-Pourrie respira un grand coup et souffla fortement par son nez en direction de la forêt… Les arbres plièrent sous la violence du vent mais seules les feuilles furent roussies. Celui-qui-Est fit passer la chaleur de son bras dans ses narines et en chassa la tempête… Les troncs s'embrasèrent, craquèrent, et les plaines alentour se couvrirent de cendres. Le rire sarcastique de Vieille-Souche-Pourrie dispersa la fumée.

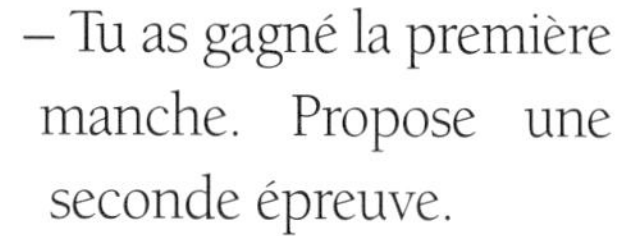

– Tu as gagné la première manche. Propose une seconde épreuve.
– Pourrais-tu déplacer la montagne que nous voyons là-bas ? demanda Celui-qui-Est.
– Rien n'est plus facile. Je bousculais de bien plus grosses montagnes lorsque je n'étais qu'un enfant.
L'être malfaisant se concentra si profondément que son horrible visage devint tout noir…

La montagne bougea de quelques pas et vint cogner contre une autre.
– Fais mieux si tu en es capable ! ironisa Vieille-Souche-Pourrie.
Celui-qui-Est lui montra un oiseau. Vieille-Souche-Pourrie le regarda passer en pivotant sur ses talons. Pendant ce temps, Celui-qui-Est plaça la montagne juste dans le dos du vilain drôle.
– Maintenant, tu peux regarder et constater mon pouvoir.
Vieille-Souche-Pourrie se retourna et s'écrasa le nez contre la montagne.
– Tu étais déjà très laid et te voici encore plus horrible, constata le Grand-Esprit. Je vais arranger cela.
En un tour de main, Celui-qui-Est modela son visage à l'image de celui de Vieille-Souche-Pourrie et se plaça devant lui pour qu'il le vît bien. Alors, le Mauvais-Esprit poussa un cri strident, sa face se solidifia, tomba à terre, et Vieille-Souche-Pourrie s'enfuit à toutes jambes.
Lorsqu'il ne fut plus qu'un petit point à l'horizon, le Grand-Esprit ramassa le masque et alla l'offrir aux Oneida.
Il leur dit :
– Quand vous sentirez les Esprits-de-la-Nuit vous envahir, vous placerez cette Fausse-Face sur votre visage et vous danserez du soir jusqu'à l'aube autour d'un grand feu. Vieille-Souche-Pourrie est parti, mais cet être est si malfaisant qu'il ne manquera pas de revenir.

Depuis ces temps lointains, les Iroquois refirent d'autres masques à l'image de celui que leur avait donné le Grand-Esprit. Et c'est pour cela que les Oneida pratiquent encore la Danse-des-Fausses-Faces. Les Mauvais-Génies sont si effrayés à leur vue qu'ils ne hantent plus les villages de ces Indiens-là.

POUR ALLER PLUS LOIN

Quand une tribu bénéficie de la protection des Bons-Esprits, cela n'empêche pas les Mauvais-Esprits de semer la discorde au sein du groupe. S'organise alors une lutte entre les deux grandes puissances.

À L'AUBE DES TEMPS ANCIENS

ILLUSTRÉ PAR MURIEL KERBA

L'événement se déroula en un lieu où il ne faisait jamais très clair et jamais très sombre. L'Être-Éternel n'avait pas encore créé les êtres humains et les Manitoos [1] régissaient l'Univers.

Dans un monde sans joie et sans tristesse, Clarté-du-Jour vivait seule, sans époux. Bien qu'elle n'ait pas de compagnon, elle possédait deux enfants. Le plus jeune, un garçon, s'appelait Vapeur-de-Brume. L'autre, une belle jeune fille, n'avait pas encore reçu de nom.

Arriva un Manitoo. Il aperçut la jeune fille et en devint immédiatement amoureux. Mais comme Clarté-du-Jour veillait jalousement sur sa fille, le Manitoo ne pouvait l'approcher.

1. Manitoo : Esprit, puissance surnaturelle.

Il eut l'idée de se transformer en une pousse et se planta sur le fond de la source où elle avait l'habitude de venir se désaltérer.
C'est ainsi qu'il pénétra dans son corps et qu'il devint son mari.
Victime de ces épousailles inhabituelles, la jeune femme mourut dans de terribles douleurs. Confondu par le chagrin, le Manitoo dut alors sortir du ventre de sa tendre épouse. À l'aide de son couteau, il lui ouvrit le flanc et sortit du cadavre sous la forme d'un nourrisson. Mais cette prouesse le rendit acariâtre, le voua au mal et il décida de devenir un être malfaisant. Laissée dans l'ignorance de cette décision, Clarté-du-Jour décida de l'adopter et, de cet instant, le considéra comme son propre fils. Elle le nomma Rayon-Éclair.
Cependant, autant le fils de Clarté-du-Jour était doux et bon, autant le nouveau venu était emporté et brutal. Rayon-Éclair ne cessait de vagabonder et faire le mal. Il gâchait la nourriture que lui donnait sa mère adoptive alors que son demi-frère mangeait parcimonieusement.
Un jour, constatant que Rayon-Éclair n'était pas là, Clarté-du-Jour interrogea Vapeur-de-Brume :
– Où est donc passé ton frère ?
– Il est parti en déclarant qu'il s'ennuyait ici et qu'il allait découvrir un pays merveilleux, expliqua Vapeur-de-Brume avec convoitise.
La vieille mère comprit que ce garçon mourait d'envie de suivre son frère, et sachant qu'elle ne pourrait plus le conserver auprès d'elle très longtemps, elle l'encouragea à voyager. Elle se mit aussitôt à lui confectionner d'épais mocassins en cuir de cerf et des jambières en peau d'orignal.
Dès le lendemain, Vapeur-de-Brume quitta le logis familial et rejoignit Rayon-Éclair. Tous deux visitèrent de nombreux et nouveaux pays.
Mais, à partager la vie errante de son frère, Vapeur-de-Brume copia son humeur massacrante. Il eut bientôt le même caractère et adopta ses manières brutales. S'encourageant l'un l'autre, les deux jeunes provoquaient toutes les personnes qu'ils rencontraient. Mais las de s'attaquer aux êtres humains, ils en vinrent à chercher querelle aux Manitoos qu'ils croisaient sur leur chemin.

De nombreux combats s'ensuivirent et leur piste fut jalonnée de cadavres. Jusqu'au jour où les deux complices parvinrent à semer la crainte et la panique en chaque lieu où ils se rendaient. Les Manitoos s'émurent. Ils organisèrent un pow-wow afin de réfléchir à la façon dont ils mettraient un frein aux agissements des deux perturbateurs.
Le Manitoo-Chargé-de-Faire-Briller-le-Soleil annonça :
– Ces sauvages parviendront à nous exterminer si nous restons à les regarder faire.
Le Manitoo-Chargé-de-Faire-Tomber-la-Pluie décréta :
– Nous allons les anéantir alors qu'il en est encore temps.
– Rayon-Éclair possède le don de la méchanceté en lui, dit le Manitoo-Chargé-de-Provoquer-le-Gel. Arriverons-nous à le détruire ?
– Pour le détruire, ajouta le Manitoo-Chargé-de-Faire-Verdir-les-Arbres, nous devons abattre Vapeur-de-Brume. Ainsi, privé de son frère, Rayon-Éclair deviendra moins redoutable, et il nous sera plus aisé d'en venir à bout.
Les Manitoos élaborèrent un plan et invitèrent les deux frères à parler avec eux. Dans l'espoir de commettre de nouveaux méfaits, les jeunes gens acceptèrent.
Le Manitoo-Chargé-de-Faire-Couler-les-Rivières dit :
– Prochainement, le Grand-Esprit mettra des hommes sur la terre et il nous a demandé de choisir un bon endroit. Afin d'organiser cette venue, nous proposons de lancer deux expéditions, l'une vers le sud et l'autre vers le nord.
Rayon-Éclair et Vapeur-de-Brume déclarèrent qu'ils se sentaient prêts à prendre la tête de chacune d'elles. Le soleil suivant, les deux frères se séparèrent et partirent dans des directions différentes.
Parvenus dans un petit bois, les Manitoos qui accompagnaient la troupe de Vapeur-de-Brume se jetèrent sur lui et l'assommèrent. Hélas, avant de s'évanouir, le jeune homme eut le temps de murmurer :
– Au secours, mon frère, j'ai besoin de ton aide ! Les Manitoos veulent m'anéantir !

Rayon-Éclair s'apprêtait à franchir les hautes montagnes quand la pensée de Vapeur-de-Brume lui parvint…
Il rebroussa chemin aussitôt et rejoignit les compagnons de son frère. Mais ne l'apercevant pas, il demanda à un Manitoo :
– Où est mon frère ?
– Un arbre lui est tombé sur la tête, répondit l'interpellé.
Rayon-Éclair sentit qu'il mentait. Il poussa un si grand soupir de désolation que la terre trembla. Des volcans crachèrent du feu, des flammes et de la fumée montèrent vers les nues. Désespéré, Rayon-Éclair se coupa une mèche de cheveux en signe de deuil et ne parla plus à personne.
Une nuit, quelqu'un gratta sur le cuir de l'entrée de sa cabane et une voix douce déclara :
– Je suis l'âme de ton jeune frère. Laisse-moi entrer…
Rayon-Éclair sut qu'il s'agissait du spectre de Vapeur-de-Brume et il répondit :
– Hélas, cela est impossible. Tu apporterais la malédiction dans ma hutte. Maintenant que tu es mort, tu ne peux plus fréquenter les vivants.
– Je ne sais plus où aller, ajouta le fantôme.
– Tu dois rejoindre les âmes qui te ressemblent, là où le soleil ne se couche jamais, expliqua Rayon-Éclair. Prends cette torche, ainsi tu y verras clair durant ton voyage.
Rayon-Éclair posa un morceau de bois résineux devant sa porte et l'esprit de Vapeur-de-Brume partit en direction du soleil couchant.
Son frère le regarda s'éloigner jusqu'au moment où sa torche se confondit avec les étoiles.
Le soleil suivant, une mésange sans couleurs chanta sur la branche d'un arbre :
– Je connais le Manitoo qui a tué ton frère et je sais où il est.
– Parle vite, s'impatienta le jeune homme. En échange, je t'offrirai un bel habit de plumes.
– Il s'agit du Manitoo-des-Eaux. Il habite au bord du lac, au fond d'une grotte.

Rayon-Éclair peignit le ventre de l'oiseau en jaune, ses côtes en vert, ses joues en blanc, le dessus de son crâne de la couleur des cieux et en fit une mésange à tête bleue. Puis il courut vers l'endroit indiqué et se cacha parmi les herbes hautes.

Quand le Manitoo-des-Eaux sortit de son repaire et s'étendit sur le sable chaud, le garçon, armé d'un arc et de flèches, tira sur le monstre aquatique.

Mais celui-ci possédait une peau très dure et la flèche ne pénétra pas dans son corps.

Seulement blessé, il se réfugia dans l'eau du lac et décida d'aller demander son aide à la femelle d'un crapaud.

Cette dernière se reposait sur un nénuphar. Une nuée de moustiques porteurs de maladies tourbillonnait autour d'elle.

Le Manitoo-des-Eaux l'implora :

– Fais quelque chose pour moi, gentille et jolie femme. Vois, je perds mes forces…

– Pour te guérir de cette blessure, je dois cueillir des plantes médicinales, déclara la femelle du crapaud. Attends-moi ici.

Elle se changea en une vieille femme édentée et gagna le rivage, un grand panier au bras.

Rayon-Éclair l'aperçut et se douta que la vieille voulait soigner son ennemi. À son tour, il se transforma en petit vieux et lui dit d'une voix chevrotante :

– À ton âge, tu ne devrais pas porter une si lourde charge.

– Je cherche à mettre dans ce panier les plantes dont j'ai besoin, répondit-elle. Un de mes amis porte une mauvaise blessure…

– Veux-tu que je t'aide ? demanda Rayon-Éclair.
Sur l'affirmative de la vieille, Rayon-Éclair la tua et prit son aspect.
Le Manitoo-des-Eaux n'éprouva aucun soupçon lorsqu'il vit revenir cette fausse vieille.
– As-tu trouvé les herbes dont tu as besoin ?
– Je vais calmer tes douleurs, dit Rayon-Éclair.
Il prit alors une lance à deux mains et transperça le monstre. La pointe s'enfonça dans le cœur du Manitoo-des-Eaux qui mourut sur-le-champ. Sa peau, sa chair et ses os fondirent et formèrent un marécage nauséabond.
Sa vengeance assouvie, Rayon-Éclair reprit son apparence et regagna sa cabane.
Un des Manitoos s'ouvrit à Clarté-du-Jour :
– Ton fils a le cœur plein d'amertume. Il vient de tuer un de mes amis. Bientôt, il ne restera plus aucun Manitoo vivant. Dis-moi : comment pouvons-nous l'apaiser ?
– Vous avez mal agi en supprimant son frère, expliqua Clarté-du-Jour. Vous devriez vous faire pardonner. Offrez un festin en son honneur et demandez-lui de faire la paix avec nous. Cependant, je dois vous prévenir que Rayon-Éclair mange énormément et qu'il vous faudra prévoir une abondante nourriture. Et puis, étant donné que je n'ai jamais vu une femme l'approcher, placez donc une jolie jeune fille à son côté. Je crois qu'il vous en sera reconnaissant.
Les Manitoos firent cuire une pleine marmite de viande. Ils parèrent une jeune vierge et dépêchèrent un messager jusqu'à la cabane où était enfermé Rayon-Éclair.
– Les Manitoos n'ont pas de rancune et ils t'ont préparé un bon repas. Ils te prient d'y assister. Tu pourras y admirer une jeune beauté et manger une grosse cuisse d'élan.
– J'irai, répondit laconiquement Rayon-Éclair.
Il se présenta dans la hutte des Manitoos avec son arc, sa lance et un lourd tomahawk.

Il n'occupa pas la place d'honneur mais s'assit près de l'entrée et posa ses autres armes sur ses genoux.
– Ne veux-tu pas te séparer de ces objets ?
Rayon-Éclair ne répondit pas. Un Manitoo poussa alors vers lui une énorme marmite et la jeune fille vint prendre place à son côté.
Quand enfin il fut rassasié, un Manitoo lui tendit une pipe et dit :
– Nous voulons vivre en paix avec toi, Rayon-Éclair.

Les mains crispées sur son tomahawk, Rayon-Éclair sentit la colère monter en lui. Mais la jeune fille entreprit de lui parler doucement à l'oreille et la fureur quitta instantanément l'impulsif.

– C'est bien, déclara-t-il. Nous allons certainement nous entendre. Le Grand-Esprit va prochainement mettre des humains sur la terre. Ces gens seront faibles, nous devrons les aider. Je décide donc de m'y employer. Il vous appartient désormais de devenir mon ami ou de rester mon ennemi.

Cette harangue provoqua des remous chez les Manitoos. Certains refusèrent d'oublier les méfaits de Rayon-Éclair, d'autres lui pardonnèrent ses fautes passées.

Dès lors, les Manitoos se divisèrent en puissances bonnes et puissances mauvaises. Le Grand-Esprit fit de Rayon-Éclair le Manitoo-Chargé-de-Maîtriser-les-Orages. Mais le repenti ne devint pas pour autant entièrement bon.

S'il contribue à la prospérité des humains en faisant tomber la pluie, il ne cesse de semer la pagaille en libérant la foudre.

LES LOIS DU CLAN

LES DEUX FRÈRES QUI S'AIMAIENT BIEN

ILLUSTRÉ PAR MURIEL KERBA

Un jour, un écureuil vit deux frères qui chassaient ensemble. Il grimpa à un arbre en les invitant à le suivre.

– Ne tire pas sur lui, dit l'aîné qui se nommait Gam-La, il est trop beau. Je vais le capturer vivant.

Le chasseur monta le long de l'arbre et disparut dans les feuilles.

– Est-ce que tu l'as ? cria le plus jeune des deux frères.

Mais il n'obtint aucune réponse.

Au bout d'un moment, il y eut un bruit de branche cassée et les vêtements de son frère tombèrent à ses pieds. Gam-La n'était pas dedans.

« Il est monté trop haut, pensa-t-il. Mon frère ne redescendra plus. »

Et il éprouva un grand chagrin.

Il s'assit sur une souche pourrie et pleura tant qu'il devint tout petit.

Tout son corps avait fondu dans ses larmes. Une vieille femme passa. Elle ramassa l'enfant qu'elle prit pour un nouveau-né.
Parvenue à sa hutte, elle le montra à sa fille.
– Vois, ma fille. À mon âge j'ai encore eu un fils, alors que toi et ton mari vous êtes toujours sans descendant.
La fille rit de bon cœur.
– Ce bébé est bien tardif. Comment l'élèveras-tu, ma mère ? As-tu seulement du lait ?
Le gendre entra et crut à une plaisanterie. Mais il examina le bébé, et, le trouvant à son goût, il déclara :
– Je suis bien heureux, maintenant j'ai un petit beau-frère.
Il le fit sauter dans ses bras. À ce jeu, l'enfant rit beaucoup et prit des forces.
La fille se renfrogna. Pourtant, elle finit par dire :
– Quel nom allons-nous donner à notre nouveau parent ? Je propose de l'appeler Ti-Na-Het, Bouleau-Élancé.
La nuit suivante, Bouleau-Élancé eut une apparition au cours d'un rêve. Le fantôme lui dit :
– C'est moi, Gam-La, ton grand frère. L'écureuil m'a mené jusqu'au ciel, j'y suis heureux. Reste aussi longtemps que tu voudras auprès des gens qui t'ont adopté. Mais si tu as besoin d'aide, appelle-moi, je viendrai.
Au village, c'était la disette. Les chasses avaient été mauvaises et les Peaux-Rouges avaient grand-faim. La vieille femme bougonnait car Bouleau-Élancé était une bouche de plus à nourrir.
– Ne pleurniche pas ainsi, vieille femme ma mère, dit l'enfant. Demain, les Pieds-Noirs trouveront de la viande devant chaque tipi.
Vers le milieu de la journée, les éclaireurs signalèrent un troupeau de bisons qui paissait près du village. On décida d'une chasse pour le lendemain. Le chef de la tribu fit placer des guetteurs, afin qu'aucun chasseur ne puisse agir prématurément et effraye le gibier.
Le soir, Bouleau-Élancé fit remarquer à la jeune femme :
– Tu avais bien tort de te lamenter, ma sœur.

Et, se tournant vers son mari :
– Toi, mon beau-frère, je te demande de m'aider. Cette nuit, tu iras dans le village et tu demanderas à chaque famille de te donner une flèche. Les plus pauvres t'en donneront deux.
La jeune femme se mit à rire.
– Qu'est-ce que ce petit bout d'homme va bien pouvoir faire avec des flèches ?
Néanmoins, son mari, qui pressentait que son jeune parent était doté de dons surnaturels, conseilla à Bouleau-Élancé :
– N'écoute pas ces moqueries, mon beau-frère. Les femmes sont toutes ainsi. Avant le cri de la chouette, tu auras les flèches que tu as réclamées.
Alors que les Pieds-Noirs dormaient, Bouleau-Élancé se glissa hors du village et alla rejoindre le troupeau de bisons.
Parvenu près des grosses bêtes, il apprit que son frère était le chef du troupeau.
Il le reconnut car, si Gam-La avait pris l'apparence d'un bison, il avait conservé sa vraie tête.
– Mon frère, lui dit-il, ces gens meurent de faim. Acceptes-tu de les aider ?
Gam-La posa sa main sur un bison bien gras et lui dit :
– Si tu veux venir en aide aux amis de mon frère, meurs instantanément.
Et le bison tomba raide !
Gam-La procéda de la même façon jusqu'à ce que Bouleau-Élancé ait planté toutes ses flèches sur les animaux morts. Puis il dispersa le troupeau et lui-même s'évanouit.
Les guetteurs avaient aperçu l'enfant rôder parmi les bisons. Lorsqu'ils virent que le troupeau avait disparu, ils avertirent le chef de la tribu.
La vieille femme arriva en pleurs sous le tipi.
– Les hommes disent que tu as fait fuir les bisons et ils ont décidé de te brûler sur un bûcher.
– Sur un bûcher ? s'étonna Bouleau-Élancé. Pensent-ils que j'ai si froid qu'il faille me rôtir pour me réchauffer ?

Le chef dit :
– Tous les bisons ne se sont pas enfuis. Plusieurs dorment encore dans l'herbe. Allons déjà tuer ceux-là. Nous châtierons Bouleau-Élancé à notre retour.
En deux bandes, ils cernèrent les bisons. Ils ne devaient attaquer qu'au cri du coyote. Mais, arrivés sur les lieux, les chasseurs constatèrent que les bêtes étaient déjà mortes.
Les Braves s'écrièrent :
– Nous avons dû chasser pendant notre sommeil, sans nous en rendre compte.
Chaque famille prit le bison qui portait sa flèche. La joie fut grande au village. Bouleau-Élancé, narquois, dit à la vieille femme :
– Ils ont peut-être maintenant assez de viande pour qu'il ne soit plus utile de me cuire sur un bûcher ?

À quelque temps de là, le village décida d'aller pêcher sur un grand lac. Près de la rivière, ils virent qu'un tipi était dressé.
– Cachez-vous dans le bois, cria le chef, c'est la tente de Nez-Affamé, un méchant sorcier. S'il nous voit, il nous jettera un maléfice.
– Laissez-moi faire, décida Bouleau-Élancé. Muselez vos chiens, montez vos tentes et ne vous inquiétez pas. Je vais faire une visite à cet épouvantail.
Tous levèrent les bras, horrifiés.
La jeune femme déclara à sa mère :
– Si tu le laisses aller, c'est la fin de ton Bouleau-Élancé.

L'enfant se tourna vers son beau-frère :
– Rassure ton épouse, mon parent. Elle paraît s'alarmer pour des riens.
Bouleau-Élancé gratta à l'entrée du tipi du sorcier et entra.
– Je passais par là, vieux hibou, et j'ai pensé que tu m'offrirais un repas.
Nez-Affamé grinça des dents et dit à sa femme :
– Vieille, donne donc à cet effronté le poisson bouilli que je gardais comme appât.
L'enfant mangea.
Le sorcier, qui l'observait, remarqua :
– Qui es-tu pour te régaler de ce poisson empoisonné ?
Bouleau-Élancé répondit simplement :
– J'aime bien le poisson bouilli. C'est tout !
Nez-Affamé ajouta :
– À mon tour j'ai bien envie de te dévorer, mais je vais te laisser une chance. Sais-tu courir au moins ?
– Pas très bien.
– Alors faisons la course, je t'épargnerai si tu gagnes.
Le vieil homme courait si vite que l'herbe s'enflammait sous ses mocassins. L'enfant invoqua secrètement Gam-La, son frère qui vivait au ciel. Gam-La jeta sur le sorcier un filet de rayons de soleil. Cela eut pour effet de ralentir Nez-Affamé, et Bouleau-Élancé gagna.
Le sorcier dit pour s'excuser :
– J'ai bu trop d'eau ce matin, je me sens un peu lourd. Viens, allons nous asseoir car j'ai très chaud.
Il s'éventa et l'air devint si froid que le lac gela.
– Il fait en effet très chaud, approuva l'enfant.
Il s'éventa à son tour, le froid devint si vif que les yeux du vieux éclatèrent.
Le sorcier alla s'asseoir dans sa tente. Bouleau-Élancé saisit une grenouille, l'avala et, la régurgitant, dit au vieux :
– Es-tu capable d'en faire autant ?
L'autre avala la grenouille.

Quand elle fut dans son estomac, l'enfant frappa dans ses mains et la grenouille se mit à gonfler.
Le méchant sorcier hoqueta, toussa, haleta, son ventre devint énorme.
Bouleau-Élancé sortit. La vieille femme du sorcier courut après lui :
– Sauve Nez-Affamé, et je deviendrai ta femme.
– Es-tu folle ? Je ne suis pas encore assez vieux pour t'épouser !
– Alors aide mon mari, il peut à peine respirer.
L'enfant revint sur ses pas, se pencha sur Nez-Affamé et chanta.
– Gam-La, mon frère qui est au ciel, porte aide à cet homme en rapport de ses mérites.
Un coup de tonnerre ébranla le tipi. Une voix venant des nuages commanda :
– Petite grenouille, ferme la bouche à ce vilain Nez-Affamé.
Le vieux mourut et la voix se fit encore entendre :
– Ainsi, vieille femme, ton abominable époux n'a plus besoin de respirer.
À son retour au camp, on s'étonna de voir que Bouleau-Élancé était encore en vie.
– As-tu réellement vu Nez-Affamé ? demanda son beau-frère.
– Bien sûr ! Le sorcier s'est même montré très aimable. Il m'a donné à manger et nous avons joué ensemble.
Alors les Pieds-Noirs comprirent que Bouleau-Élancé était allié à une grande puissance surnaturelle. Il grandit et toutes les filles de la tribu voulurent l'épouser.
Sa mère adoptive lui dit un jour :
– Demain je te présenterai à ta future femme. Je l'ai choisie parmi les plus laides pour que personne n'ait l'idée de te la voler.
Mais, le lendemain, Bouleau-Élancé était parti. Il avait préféré rejoindre son grand frère Gam-La qui vivait au ciel avec un très bel écureuil.
C'est pourquoi, encore de nos jours, certains Indiens préfèrent rester célibataires.

LE BON ET LE MAUVAIS FRÈRE

ILLUSTRÉ PAR CHRISTIAN GUIBBAUD

LÉGENDE DE LA TRIBU DES CROW

7 MINUTES

POUR COMBATTRE LE BON ENNEMI

En plein hiver, dans la Lune-des-Loups-Blancs, une Indienne mit un enfant au monde. Au-dehors de la hutte, une tempête faisait rage et le vent soufflait dans le squelette des arbres. La femme nomma son petit garçon Sifflement-des-Esprits.

Au printemps suivant, à la Lune-où-les-Jours-Rallongent, l'Indienne eut un second enfant.

Comme on le lavait dans la rivière, le soleil tomba sur l'enfant. On l'appela donc Homme-Soleil.

Les deux frères grandirent ; mais autant Homme-Soleil était bon, autant Sifflement-des-Esprits était mauvais.

Un jour, Sifflement-des-Esprits tua un enfant du village.

Le Chef-de-Paix déclara à la mère :

– Seul ton fils a pu prendre la vie de cet enfant. Les parents du défunt réclament des présents en compensation. Sinon, tu devras payer avec ta propre vie.

Sifflement-des-Esprits ricana dans son coin. Alors, Homme-Soleil offrit son plus beau cheval. On fuma le calumet et tout le monde fut content.

Néanmoins, deux clans se formèrent à l'intérieur du village. Il y eut les partisans de Sifflement-des-Esprits et ceux d'Homme-Soleil.

Chaque jour, des conflits naissaient. Le Chef-de-Paix éprouvait de plus en plus de mal à faire régner l'ordre au sein de la tribu des Corbeaux [1].

Excédé, Homme-Soleil décida de quitter le village avec ses fidèles amis. La bande de Sifflement-des-Esprits n'en cessa pas pour autant ses tracasseries.

Dans son nouveau camp, Homme-Soleil dut repousser d'incessantes expéditions guerrières. Il y eut beaucoup de morts de part et d'autre ! Jusqu'au jour où Homme-Soleil fut touché au cœur en écoutant les chants funèbres.

Il dit aux Braves de son clan :

– Ces hommes que nous tuons pour nous défendre sont nos frères. Plutôt que de continuer cette guerre inutile, je préfère aller combattre nos ennemis, les Sioux, pour les punir des carnages répétés qu'ils font chez nous.

1. Corbeau : traduction de Crow.

Il gagna les Montagnes-Noires avec ses Braves. Au détour d'un sentier apparut un grand nombre de tentes sioux.
Homme-Soleil dit à ses Braves :
– Nous ne sommes pas assez nombreux pour espérer vaincre. Ceux d'entre vous qui veulent repartir peuvent le faire sans démériter. Quant à moi, j'attaquerai ! Car je n'ai plus le goût de vivre. Mon existence n'est plus belle et je l'abandonne au Grand-Esprit. Les événements m'ont forcé à devenir un guerrier et j'en ai honte.
Ils restèrent une dizaine. Homme-Soleil fit une incursion dans le camp ennemi, brûla quelques tipis et alla s'embusquer dans un défilé avec ses Braves. Les Sioux, très mécontents, encerclèrent les Corbeaux et se mirent à tirer sur eux de tous côtés. Bien abrité dans le défilé, Homme-Soleil résista à toutes leurs attaques. Toutes les fois qu'il tuait un Sioux d'une flèche, il allait chercher le cadavre et le scalpait [2].
Le combat dura toute la journée. Le soir, Homme-Soleil avait perdu deux hommes.
Le lendemain, les Sioux escaladèrent les montagnes environnantes et firent pleuvoir sur les Corbeaux un ouragan de flèches. Homme-Soleil perdit encore des Braves. Si bien qu'au soir du deuxième jour, il se retrouva tout seul.
Un Sioux lui cria d'une hauteur :
– Qui es-tu, toi qui es encore vivant alors que depuis longtemps tu devrais être mort ?
La voix d'Homme-Soleil résonna comme le grondement d'un fleuve :
– Je suis un pauvre Peau-Rouge qui, après avoir tué des hommes de son propre sang, ne veut plus retourner vivant chez lui.
Le Sioux dit à nouveau :
– Ton courage est si grand que nous sommes prêts à t'épargner.
– Non. Tirez davantage au contraire ! J'ai besoin de vos flèches car j'ai épuisé les miennes.

2. Scalper : sans son scalp, un Indien ne pouvait entrer au Pays-des-Chasses-Éternelles après sa mort.

Vers le milieu du jour, les Sioux lui jetèrent une gourde.
– Nous savons que tu n'as plus d'eau. Bois, Homme-Soleil ! Nous voulons le scalp d'un homme fort.
Au crépuscule, le bras du Brave était si enflé qu'il avait du mal à tendre son arc. Ses flèches se firent plus rares. Puis, il cessa complètement de tirer.
Les Sioux crurent à une ruse et montèrent à l'assaut, le tomahawk au poing. La mêlée fut épouvantable ! Les morts s'amoncelèrent aux pieds d'Homme-Soleil. Il saignait de partout. Malgré cela il hurlait :
– Venez plus nombreux ! Les Sioux sont-ils des lâches ?
À l'aube du troisième jour, la hache d'Homme-Soleil lui tomba des mains. Il chut, à genoux, et entama son chant de mort. Son triste corps n'était plus qu'une plaie.
Un Sioux se glissa jusqu'à lui et lui décocha une flèche dans la poitrine. Un autre lui fendit le crâne avec son tomahawk. Mais face à ce redoutable guerrier, les Sioux épouvantés n'osèrent pas lui prendre son scalp.
La mort glorieuse d'Homme-Soleil arriva jusqu'au village des Corbeaux. Le Chef-de-Paix organisa un conseil, au cours duquel il déclara :
– Ce Brave qui a préféré mourir de la main de l'ennemi plutôt que combattre les siens est un grand sage. Sa mort est un message pour ce conseil. N'offensons plus l'Être-Éternel et fumons le calumet de paix.
Et les deux clans de la tribu se réconcilièrent !
Cependant, Sifflement-des-Esprits n'appréciait guère cette paix. Trop de mauvais instincts étaient en lui.
Un jour, au bord de la rivière, il piétina un enfant. Le jeune garçon, meurtri, alla se réfugier à l'endroit même où Homme-Soleil avait soutenu son combat avec les Sioux.
Alors qu'il sanglotait, Homme-Soleil lui apparut et lui dit :
– Je vois que Sifflement-des-Esprits n'a pas changé. Nous allons mettre un terme à sa mauvaise humeur. Retourne au village, je t'y accompagnerai par la pensée. Prends mon nom, il est magique, il te protégera. Prends aussi cet os, tu t'en feras une massue. C'est l'os de mon bras guerrier. Avec lui tu seras aussi fort que je l'ai été.

De retour au village, le jeune homme fit savoir au sorcier qu'Homme-Soleil lui avait donné son nom magique. Les Corbeaux furent bien heureux d'apprendre qu'Homme-Soleil était revenu dans le corps de ce garçon.
Le Chef-de-Paix offrit un grand banquet.
Le soir même, Sifflement-des-Esprits perça sa femme de trois coups de couteau. Celle-ci, tout ensanglantée, alla se réfugier chez Homme-Soleil. Sifflement-des-Esprits saisit sa hache avec l'intention de tuer le jeune Brave et de reprendre sa femme.
Arrivé devant son tipi, il cria :
– Viens te battre, Homme-Soleil ! Le vainqueur gardera cette femme.
Le jeune homme sortit en disant :
– Tu as employé ta force non pas contre l'ennemi mais contre les gens de ta propre tribu. C'est pourquoi tu vas mourir misérablement. N'aie pas peur, tu vas trépasser sans douleur.
Sifflement-des-Esprits leva son tomahawk. Mais Homme-Soleil le toucha avec son os-médecine, et le bras de son frère retomba, inerte. Médusé, le mauvais s'enfuit hors du village.
Les Corbeaux le retrouvèrent le lendemain, mort dans la prairie.
– C'est bien ainsi ! décréta Homme-Soleil. Ne lui dressez aucun échafaud funéraire [3]. Laissez les loups manger sa chair et les jeunes coyotes jouer avec ses os.
Homme-Soleil devint un homme respecté et honoré. La tribu retrouva le bonheur.
Depuis cette triste affaire, chez les Corbeaux, personne n'osa jamais plus donner à un enfant le nom de Sifflement-des-Esprits.

3. Échafaud funéraire : certaines tribus indiennes n'enterrent pas leurs morts, elles les déposent sur de hauts bâtis de bois où ils se dessèchent.

LES DEUX FRÈRES ET LE MAUVAIS HOMME

ILLUSTRÉ PAR FABRICE TURRIER

LÉGENDE DE LA TRIBU DES PIEDS-NOIRS

9 MINUTES

POUR VENGER SES PARENTS

Un Indien chassait avec son épouse dans une forêt. Un jour qu'il poursuivait un ours, il s'aventura trop loin et s'arrêta dans un endroit que sa femme ne connaissait pas. Bien que ce fût la belle saison, les feuilles des arbres étaient rabougries et les baies des buissons semblaient toutes desséchées.

La contrée n'offrait rien de très engageant. Néanmoins, l'homme bâtit une hutte et dit à son épouse :

– Nous sommes sur le terrain de chasse d'un personnage redoutable. Il se nomme Crâne-de-Spectre. Je vais suivre seul la piste de l'ours. De ton côté, enferme-toi dans la cabane. Si l'odieuse créature vient rôder par ici, ne lui ouvre surtout pas. Le seul fait de penser à ce mauvais bonhomme te ferait tomber en sa puissance.

La femme déclara qu'elle ne parlerait ni ne songerait à Crâne-de-Spectre en aucun cas. Et le chasseur partit sur les traces de l'ours.
À peine se fut-il éloigné, quelqu'un frappa à la porte. La femme se dit : « Ce doit être cet abominable Crâne-de-Spectre, ne répondons pas. »
Mais, par cette simple évocation, elle s'était déjà placée en son pouvoir.
Bien que ne désirant pas ouvrir, une force incontrôlable la poussa à entrebâiller la porte. Crâne-de-Spectre entra, s'installa comme chez lui et déclara :
– J'ai grand-faim. Femme, prépare le dîner.
L'épouse du chasseur venait justement de faire du ragoût. Elle lui tendit un plat, mais Crâne-de-Spectre le refusa dédaigneusement.
– Je n'ai guère l'habitude de manger dans une écuelle aussi grossière. Je ne prendrai mon repas qu'au creux de ton ventre.
La femme s'allongea docilement sur le dos et Crâne-de-Spectre commença son dîner. Il lapa rapidement les légumes et, au moment de couper sa viande, il lui plongea son couteau dans le ventre.
– Quel maladroit je suis ! s'écria-t-il. J'ai coupé à côté.
La femme mourut.
Crâne-de-Spectre élargit encore l'entaille et trouva deux jumeaux dans le ventre de la femme.
Il en prit un et le posa sur le foyer pour le brûler.
– Toi, tu t'appelleras Enfant-de-la-Braise.
Puis, il saisit l'autre et l'entortilla dans une peau de bison pour l'étouffer.
– Toi, tu te nommeras Enfant-de-la-Fourrure.
Et Crâne-de-Spectre quitta la cabane sans plus de formalité.
Quand le chasseur rentra chez lui, il trouva sa femme morte. Il songea aussitôt : « C'est à n'en pas douter un mauvais coup à mettre sur le compte de Crâne-de-Spectre. »
Les deux enfants se mirent à pleurer. Le chasseur les prit dans ses bras pour les calmer. Mais les deux frères crièrent plus fort.
L'homme pensa : « Ils ont faim. Comment vais-je bien pouvoir les nourrir ? »

Une idée lui vint à l'esprit. Il ôta sa tunique de peau de daim et plaça chacun de ses enfants contre un de ses seins.

Les petits s'empressèrent de téter. « C'est curieux, se dit-il. Je n'ai pourtant pas de lait. »

Le lendemain au matin, les plaintes reprirent. Le chasseur mit ses enfants dans un panier et partit dans la forêt.

Avisant des castors, il posa Enfant-de-la-Fourrure devant une femelle.

– Faisons un marché, lui dit-il. Élève mon fils et je ne tuerai jamais plus un castor.

Puis, remarquant une grosse pierre, il assit Enfant-de-la-Braise dessus.

– Élève mon enfant et je ne jetterai jamais plus de cailloux à personne.

Et il repartit chasser.

L'homme fut absent pendant quatre saisons.

Quand il revint dans sa cabane, sa femme était devenue un squelette. De jeunes coyotes s'étaient amusés avec les os et les avaient éparpillés sur le sol. À la vue de ce désolant spectacle, le chasseur sortit de la cabane et erra aux alentours. Il rencontra deux enfants qui jouaient dans l'herbe d'une clairière. Lorsqu'il voulut les approcher, l'un d'eux se cacha sous une pierre et l'autre plongea dans l'eau du lac.
L'homme pensa : « Ce sont certainement mes fils. Ils sont devenus très sauvages, comment vais-je les attraper ? »
Une ruse lui vint à l'esprit. Il s'allongea de tout son long sur le sol et fit en sorte de ressembler à une vieille souche.
Les petits sortirent de leur cachette.
– Viens jouer ! cria Enfant-de-la-Braise à son frère.
Mais Enfant-de-la-Fourrure semblait encore très effrayé.
– N'approchons pas de la cabane. J'ai peur de cet étranger. Allons plutôt nous rouler sur cette souche.
Lorsque les deux frères s'approchèrent, le chasseur se redressa et les saisit chacun par un pied.
– Ne gigotez pas ainsi, dit l'homme. Je suis votre père. Mordez-moi un sein, et vous verrez que je ne vous mens pas.
Les enfants croquèrent dans la poitrine du chasseur et déclarèrent :
– Tu es bien notre père, nous reconnaissons le goût de ton sang.
L'homme caressa ses fils, leur offrit un arc, des flèches et les mena dans sa hutte.
– Voyez, ceci est le squelette de votre défunte mère. Mettez de l'ordre ici. Je dois aller chasser pour vous nourrir, que tout soit bien propre quand je rentrerai.
Quand l'homme fut parti, Enfant-de-la-Braise dit à son frère :
– Faisons quelque chose pour notre pauvre mère. Ses os sont éparpillés. Aide-moi, nous allons reconstituer son squelette.
Après que le squelette eut retrouvé forme humaine, Enfant-de-la-Braise prit l'arc, tira une flèche et cria :
– Prends garde, mère ! Ce trait a bien failli t'atteindre.

Mais la femme ne remua que faiblement les jambes. Alors, Enfant-de-la-Fourrure tira lui aussi une flèche et hurla :
– Mère ! Ta soupe bout et ta marmite déborde !
Aussitôt, la femme bondit sur ses pieds et courut vers le foyer.
N'apercevant que des cendres froides, elle remarqua en riant :
– Ces petits drôles ne pensent qu'à plaisanter, ce doit être pour me rappeler qu'il est temps de manger.
Et la femme prépara un ragoût.
Quand le chasseur revint de la chasse avec un cerf, son épouse l'aida à découper la viande. L'homme remarqua :
– Tiens, tu es gauchère maintenant ?
C'est ainsi que les enfants surent qu'ils s'étaient trompés en remontant les os des poignets de leur mère.
À quelque temps de là, le père dit à ses deux fils :
– N'allez surtout pas du côté du marais. Au milieu de ces eaux croupies vit Crâne-de-Spectre. Cet individu est particulièrement mauvais. C'est lui qui a tué votre mère autrefois.
Enfant-de-la-Fourrure dit à son frère :
– Allons-y faire un tour afin de voir quelle tête il a. Le moment est venu d'apprendre la politesse à ce monstre.
Parvenus aux abords du marais, les enfants se glissèrent parmi les herbes aquatiques et arrivèrent en vue d'une cabane.
– Ce doit être là, murmura Enfant-de-la-Braise.
Une grosse voix sortit de la hutte :
– Entrez donc, nous allons fumer un peu.
Les deux frères franchirent le seuil et se trouvèrent en présence de Crâne-de-Spectre.
Enfant-de-la-Braise lui dit :
– On m'avait dit que tu étais très laid, mais je crains que tu le sois plus encore.
– Puisque tu es aussi impertinent, tu n'auras pas de mon tabac ! rugit Crâne-de-Spectre.

Enfant-de-la-Fourrure répliqua :
– On m'avait dit que tu avais un caractère exécrable, mais je crains que tu en aies un plus affreux encore.
– Puisqu'il en est ainsi, je fumerai seul, grinça Crâne-de-Spectre.
Il bourra une grosse pipe avec des feuilles moisies et y mit le feu en soufflant dessus.
Une fumée épaisse aux relents de bois pourri se répandit dans toute la cabane. Enfant-de-la-Braise mit aussitôt deux petits cailloux ronds dans ses narines et Enfant-de-la-Fourrure y enfonça deux morceaux de bois.
Quand la fumée fut dissipée, Crâne-de-Spectre s'étonna :
– Comment, vous êtes encore là ? Comment se fait-il que vous ne soyez pas morts ? Personne n'a jamais résisté à cette pipe empoisonnée.
Enfant-de-la-Braise lui prit la pipe des mains.
– Cela vient du fait que tu ne sais pas fumer, gros malappris. Je vais te montrer que mon tabac n'a rien à envier au tien.
Le jeune homme prit une pincée de cendre dans le foyer de la hutte, y mélangea quelques poils de castor et alluma le tout avec un brandon.
La fumée qui sortit de ses narines avait une odeur si âcre que Crâne-de-Spectre verdit de la tête aux pieds et tomba mort.
De retour chez eux, les deux jeunes gens riaient encore de la farce qu'ils avaient faite au hideux personnage.
Le chasseur soupçonna quelque chose.
– Quel tour venez-vous de jouer ? interrogea-t-il.
– Nous avons fait une courte visite à Crâne-de-Spectre, répondit Enfant-de-la-Braise. Il a voulu fumer le calumet de la paix avec nous et je pense qu'il ne s'en remettra pas.
– Oui, il est devenu tout vert et s'est évanoui, compléta Enfant-de-la-Fourrure.
Les parents haussèrent les épaules et oublièrent l'incident.
Et le temps passa.
La neige recouvrit la terre une trentaine de fois.

Un matin, Enfant-de-la-Braise dit à son frère :
– Nos parents sont vieux, mais ils s'aiment encore. Je crois que nous gênons leur intimité. Nous devrions partir et ne revenir que dans plusieurs années. Ils seront alors bien contents de nous revoir car nous leur serons bien plus utiles que maintenant.
Enfant-de-la-Fourrure trouva l'idée excellente.
Les deux frères saisirent donc la queue d'un élan qui passait par là et partirent en courant, entraînés à sa suite.

LES SEPT FRÈRES REPENTANTS

ILLUSTRÉ PAR MURIEL KERBA

LÉGENDE DE LA TRIBU DES PIEDS-NOIRS

8 MINUTES

POUR AVOIR DES REMORDS

Dans un village de tentes établi au pied des Montagnes-Étincelantes, une jeune fille vivait avec sa famille. À sa naissance, l'astre de la nuit ne montra que son plus petit quartier ; sa mère la nomma donc Petite-Lune.

Petite-Lune avait sept frères et quatre sœurs. Son père était un bon chasseur et il pouvait nourrir plusieurs femmes.

Une chose étonnait la famille de Petite-Lune : bien que la jeune fille fût en âge de se marier, elle ne semblait pas s'intéresser aux jeunes gens de la tribu. Ses sœurs la plaisantaient à ce sujet, mais elle ne répondait jamais. Il est vrai que Petite-Lune parlait peu et ne participait guère à leurs ébats. Souvent, la jeune fille s'isolait sur le sommet de la montagne, là où les chasseurs eux-mêmes n'osaient pas s'aventurer.

Quand elle allait chercher du bois dans la forêt avec ses sœurs, Petite-Lune leur disait toujours : « Ramassez votre bois, je vais faire un tour. Je serai revenue avant que vous en ayez terminé. » Puis elle s'éloignait sans jamais préciser où elle allait. Intriguées par cette curieuse attitude, ses sœurs décidèrent un jour de l'observer à son insu. Elles attendirent que Petite-Lune s'éloigne et la suivirent de loin. Elles parvinrent ainsi devant une caverne et découvrirent leur sœur en compagnie d'un ours. Elles se cachèrent et virent que le gros animal léchait le visage de Petite-Lune alors que celle-ci caressait sa fourrure en lui murmurant des mots doux à l'oreille.

Les jeunes filles s'enfuirent, effrayées.

Parvenue au village, l'aînée des sœurs dit à son père :

– Il se passe une chose épouvantable. Petite-Lune est la femme d'un ours !

Le père réunit ses sept fils et leur dit :

– Prenez vos armes. Voici que votre beau-frère est un ours. Ce sale animal a certainement ensorcelé votre sœur et le mieux est encore de le tuer. Petite-Lune vous en sera reconnaissante.

Les jeunes hommes partirent dans la forêt et découvrirent la retraite de l'ours grâce aux traces que leurs sœurs avaient laissées sur leur passage.

Par leurs cris de provocation, ils attirèrent l'animal hors de la grotte et l'attaquèrent. L'ours était gros et particulièrement méchant. Les frères durent livrer un dur combat. Quand ils eurent transpercé l'animal avec leurs lances, les sept frères le jetèrent sur un grand feu afin qu'il n'en reste rien.

Mais Petite-Lune, perchée en haut d'un arbre, avait vu toute la scène. Elle pleura la mort de son mari. Puis, de retour dans la tribu, elle se couvrit le visage de cendres et coupa ses longs cheveux en signe de deuil, comme si son défunt époux avait été un homme.

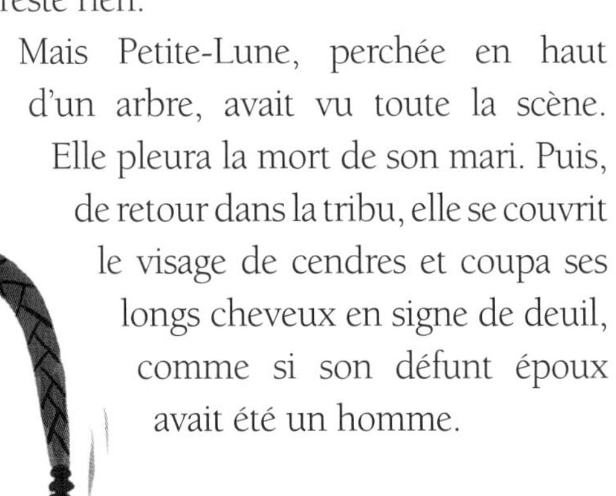

Le soir même, son père dit à ses femmes :
– Pourvu que cet ours de malheur n'ait pas donné un don magique à Petite-Lune. Cet accouplement anormal cache peut-être un maléfice.
Les femmes rassurèrent leur mari et celui-ci oublia l'inconduite de sa fille.
Après un délai convenable, toute consacrée à son chagrin, Petite-Lune décida de venger la mort honteuse de son amoureux.
Un matin, elle dit à ses sœurs :
– Venez avec moi. Je ne suis plus en deuil, nous allons jouer dans la forêt.
Une fois dans le sous-bois, elles gagnèrent une oseraie.
Petite-Lune dit encore :
– Restez ici. Je vais me cacher et vous essaierez de me trouver.
Elle disparut dans les broussailles.
Les filles attendirent un moment. Puis elles se précipitèrent dans l'oseraie en criant :
– Où es-tu, Petite-Lune ? Nous allons te dénicher !
À cet instant, un affreux grognement sortit de derrière les buissons. Une ourse puissante et furieuse bondit au milieu des sœurs pétrifiées et les tua à coups de griffes.
Seule la plus jeune parvint à s'échapper. Elle courut jusqu'au village et donna l'alerte. La tribu au grand complet leva le camp et partit se réfugier dans la montagne.
Quand Petite-Lune eut retrouvé sa forme humaine et revint au village, elle ne trouva personne. Elle pensa : « Ma plus jeune sœur a dû raconter que je m'étais changée en ourse et les gens ont pris peur. »
Parvenue dans la montagne, la jeune rescapée rencontra ses sept frères qui revenaient d'une expédition de chasse. Elle leur dit :
– Petite-Lune possède un don magique. Elle s'est transformée en ourse et a tué mes sœurs.
L'aîné examina la situation et déclara :
– C'est maintenant une fille très dangereuse. Nous devons l'abattre à son tour ; sinon elle causera d'autres ravages.

– Cela ne sera pas facile, remarqua la fillette. Lorsqu'elle devient une ourse, Petite-Lune est très robuste. Et dans ce cas-là, sans doute est-elle invulnérable.
– Elle doit bien avoir un point faible, dit l'aîné des frères. Trouve-le et préviens-nous. Tiens, voici un lièvre. Offre-le à Petite-Lune pour l'amadouer.
Pas très rassurée, la jeune fille revint au village. Petite-Lune était sous son tipi. La fillette entra prudemment et dit à son aînée :
– Ne sois pas méchante avec moi, je suis ta petite sœur. Vois, je t'apporte un beau lièvre.
Mais Petite-Lune répondit :
– Jette-moi cette bestiole dehors. Je sens sur elle l'odeur de l'homme, et cela m'irrite.

Lorsque la nuit tomba, la fillette s'allongea dans un coin du tipi et elle attendit que la femme-ourse s'endorme. Puis, certaine du sommeil de sa sœur, elle se glissa à côté de sa couche et lui murmura à l'oreille :
– Quelqu'un te veut du mal. Que crains-tu le plus ?
Petite-Lune poussa un grognement et répondit :

– Ne sois pas en peine pour moi. Je possède une puissante médecine. Les tomahawks et les lances ne peuvent rien contre moi, j'ai le pouvoir de les briser d'un coup de patte.
La fillette insista :
– N'y a-t-il donc aucune arme capable de te tuer ?
– Si, répondit Petite-Lune. Je crains les flèches fabriquées dans des tiges d'osier.
Les sept jeunes Braves se rendirent aussitôt dans l'oseraie et coupèrent des branches pour en faire des flèches. Puis, ainsi armés, ils se glissèrent dans le village et cernèrent le tipi de Petite-Lune.
Les sept Braves attendaient pour la surprendre quand un vilain grognement s'échappa de dessous la tente. Petite-Lune en sortit. Une fois de plus, elle s'était changée en ourse.
Elle cria :
– L'air empeste l'odeur de l'homme ! Montrez-vous que je vous brise les os !
Elle avançait vers ses frères toutes griffes dehors, ses babines retroussées montraient ses crocs redoutables.
Les sept frères tirèrent tous en même temps et Petite-Lune tomba morte.
Les jeunes gens brûlèrent la dépouille de l'ourse et veillèrent à ce que le plus petit morceau disparaisse dans les flammes.
À quelques jours de là, ils bâtirent un nouveau tipi et s'y installèrent avec leur petite sœur. Mais le remords les rongeait.
Un soir, l'aîné dit :
– Je ne peux plus vivre ainsi. Nous avons tué notre sœur et son esprit me hante sans cesse.
Le cadet ajouta :
– Chaque nuit il me semble l'entendre geindre derrière la tente.
Ensemble, ils décidèrent d'apaiser l'âme de leur sœur en lui faisant une offrande. Ce soir-là, ils déposèrent une pipe et du tabac devant l'entrée du tipi.
Toute la nuit, des plaintes venant de l'extérieur les empêchèrent de dormir.

Dès l'aube, l'aîné des sept frères sortit et vit que la pipe était posée à l'envers et le tabac répandu sur le sol.
Il rentra sous la tente et dit :
– Petite-Lune refuse nos présents. Elle ne veut pas faire la paix avec nous. Nous devons partir loin d'ici si nous ne voulons plus entendre ses gémissements.
– Mais où aller ? demanda le cadet. Son esprit nous poursuivra partout.
L'aîné affirma :
– Le meilleur moyen de lui échapper est de nous métamorphoser nous aussi.
– Changeons-nous en étoiles, proposa le cadet. Jamais elle ne pourra nous rejoindre dans le ciel.
La proposition fut adoptée. Les frères allumèrent une pipe sacrée. Chacun d'eux souffla une volute de fumée vers le sommet du tipi. Puis la fumée les aspira et les jeunes gens montèrent dans les airs.
Ils montèrent… montèrent… Et parvenus au plus haut des nues, ils formèrent une constellation.

Ces sept étoiles [1] brillent encore aujourd'hui. Près d'elles, il s'en trouve une autre, très petite celle-là. C'est la petite sœur qui n'a pas voulu quitter ses frères.

1. Les sept étoiles : il s'agit certainement du groupe des Pléiades.

L'HOMME QUI PORTAIT UN JOLI NOM

ILLUSTRÉ PAR FABRICE TURRIER

LÉGENDE DE LA TRIBU DES ASSINIBOINE

10 MINUTES

POUR NE PAS SE FIER AUX APPARENCES

Depuis la Lune-du-Départ-des-Oies, les loups n'avaient pas cessé de hurler. Une jeune fille nommée Framboise-Sauvage dit à son frère :
– Jamais je n'épouserai un loup. Ces animaux sont beaucoup trop bavards et je n'aime pas leur nom.
Son frère, Jour-sans-Pluie, lui répondit :
– Méfie-toi des hommes qui ont un joli nom. Certains d'entre eux font de très mauvais maris.
Framboise-Sauvage alla cueillir des baies et Jour-sans-Pluie partit chasser. Tandis que la jeune fille récoltait des fraises des bois, un homme sortit de derrière un buisson et lui dit :
– Je m'appelle Écureuil-Bleu. C'est un très joli nom, n'est-ce pas ? Je serai pour toi un excellent époux.

Il prit Framboise-Sauvage par la main et la mena dans une épaisse forêt. Une cabane de branchages apparut bientôt. L'homme y pénétra le premier et cria de l'intérieur :
– Entre, ma douce fiancée ! Viens faire la connaissance de ta nouvelle famille.
Framboise-Sauvage franchit le seuil. Un homme vieux et laid était assis contre le mur du fond de la hutte. Trois jeunes hommes fumaient à ses côtés.
Les jeunes gens se ressemblaient tous et Framboise-Sauvage n'arrivait plus à reconnaître celui qui l'avait amenée là. Le premier dit :
– Qui es-tu ? Je ne te connais pas. Vois, père, ses colliers s'envolent.
Le vieux ricana, et les colliers quittèrent le cou de Framboise-Sauvage.
Le second dit :
– Quelle est cette étrangère ? Vois, père, ses mocassins s'envolent.
Le vieux ricana une autre fois, et les mocassins quittèrent les pieds de Framboise-Sauvage.
Le troisième dit :
– Vas-tu enfin nous dire ce que tu fais ici ? Vois, père, sa robe s'envole.
Le vieux ricana une fois encore, et Framboise-Sauvage se retrouva toute nue.
Le vieux aboya :
– Sors de cette cabane, tu t'es trompée d'endroit. Une tempête de neige va s'élever, elle te fera un chaud manteau.
Honteuse de sa nudité, Framboise-Sauvage s'en fut. Un ouragan plia la cime des arbres et la neige recouvrit ses épaules. Épuisée, grelottante de froid, la jeune fille aperçut au loin une fumée. Elle parvint devant une hutte recouverte d'écorce de bouleau. Heureuse de pouvoir enfin se protéger du froid, elle entra sous l'abri.
Le vieil homme laid s'y trouvait encore, mais cette fois, six femmes l'entouraient. Il lui dit :
– Entre te chauffer. Tu es ici chez mes épouses. Désormais, cet endroit sera ton logis.

Le vieux avait coupé les jambes de ses six femmes afin qu'elles ne pussent pas s'enfuir. Il ajouta :
– Je m'appelle Écureuil-Bleu. C'est un beau nom, n'est-ce pas ? Dans quelques jours je te couperai les jambes et je t'épouserai. En attendant, je dois aller chasser pour vous nourrir toutes.
Il prit un grand couteau et se coupa les pieds. Il empoigna une hache et se tailla les jambes en pointe.
Dehors, Écureuil-Bleu s'approcha d'un orignal, prit son élan, sauta dessus et lui planta ses jambes dans le corps. Il tua de la même façon un énorme cerf et un ours. Puis, satisfait, il remit ses pieds en place.
En l'absence d'Écureuil-Bleu, une femme donna une robe usagée à Framboise-Sauvage. Celle-ci demanda :
– Qui est cet horrible vieux ? Il paraît épouvantable.
– C'est un vrai goujat, répondit la femme. Il nous a attirées toutes ici grâce à son joli nom. Ce monstre possède un pouvoir surnaturel. Personne ne sait d'où il le tient, sinon nous pourrions toutes nous échapper.
De moins en moins rassurée, Framboise-Sauvage se coucha sur le sol et feignit de dormir. Elle ôta une petite pierre fichée dans la terre et lança un faible appel dans le trou. La voix de son frère lui parvint. Elle lui conta ce qui était arrivé.
– Quelle brute ! s'exclama Jour-sans-Pluie. Prends patience, ma sœur, je viendrai t'aider la nuit prochaine.
Le jeune homme alla trouver une amie.

– Ma très chère taupe, j'ai besoin de toi. Pourrais-tu me creuser une galerie qui déboucherait sous la couche d'Écureuil-Bleu ?
– Rien de plus facile, répondit la taupe.
Aussitôt, elle se mit au travail, et la nuit suivante la galerie était terminée.
Jour-sans-Pluie attendit que le vieux se fût allongé sur sa couche et lui décocha une flèche en direction du cœur. Malheureusement, le dard ne fit qu'entamer le poumon d'Écureuil-Bleu.
Réveillé en sursaut, le vieux se leva et poussa des cris épouvantables. Il ôta ses pieds, tailla rapidement ses jambes en pointe et les lança dans toutes les directions, éventrant tout ce qui se trouvait à sa portée. Trois de ses femmes moururent transpercées au cours de cet accès de rage.
Le lendemain, Écureuil-Bleu ne se leva pas. Il décréta que sa blessure l'avait affaibli et qu'il se sentait malade.
Framboise-Sauvage en profita pour s'enfuir. Hélas, elle se trompa de chemin et se retrouva devant l'autre hutte. Le vieil homme laid était encore là, couché, dans la même position qu'il avait dans la cabane que Framboise-Sauvage venait de quitter. La jeune fille se chauffa auprès du feu en regardant les trois frères à la dérobée. L'un d'eux se leva et dit aux deux autres :
– Allez voir dans quelle direction souffle le vent.
Lorsqu'ils furent sortis, le jeune homme s'approcha de Framboise-Sauvage et lui dit tout bas.
– Je me nomme Triste-Mine. En dépit de ce vilain nom, je veux t'aider car je vois bien que tu es malheureuse.
– Alors, dis-moi d'où ton père tire son pouvoir. Il peut ôter ses pieds et se tailler les jambes ; tout cela ne me paraît pas très normal.
– Il le tient des grenouilles qui vivent dans le marais, répondit Triste-Mine. Mes frères et moi sommes tristes d'avoir un tel père. Il est excessivement sévère avec nous et nous oblige à lui obéir.
Framboise-Sauvage se coucha et déclara qu'elle voulait dormir. Mais elle souleva discrètement une pierre incrustée dans le sol et chuchota dans le trou :

– Mon frère, m'entends-tu ?
La voix de Jour-sans-Pluie répondit :
– Qu'as-tu ma sœur ?
– Je viens d'apprendre qu'Écureuil-Bleu tient son pouvoir des grenouilles du marais.
– Patiente un peu, je vais arranger cela, affirma Jour-sans-Pluie.
Il alla trouver une amie et lui dit :
– Ma très chère grue, il y a trop de grenouilles dans le marais. Ces sales bêtes m'empêchent de dormir. Ne pourrais-tu pas en manger quelques-unes ?
– Je vais les avaler toutes, répondit l'oiseau. Je viens justement de m'apercevoir que je maigrissais. Il est temps que je fasse un bon repas.
La grue piqua les grenouilles une à une, les mit dans une marmite et entreprit de les faire cuire.
Le vieux, sentant ses forces décliner, se traîna jusqu'au marais. Il surprit le volatile qui faisait sa cuisine.
– Ainsi, c'est par ta faute que je perds mon énergie, s'écria-t-il. Attends ! Puisque tu parais aimer mijoter de bons plats, j'ai un travail pour toi.
Il captura la grue, lui lia les pattes et l'emporta dans sa hutte.
Et la pauvre grue fut obligée de remuer la soupe du vieux avec son long bec.
De son trou, Jour-sans-Pluie voyait ce qui se passait dans la cabane.
Il alla voir une loutre qui passait pour être une très bonne sorcière.
Il lui conta les tourments dont sa sœur et son amie la grue étaient les victimes.

La loutre fit boire une potion magique à Jour-sans-Pluie et lui parla à l'oreille. Le jeune homme, accompagné d'un gros ours, retourna à la hutte d'Écureuil-Bleu.

Il entra avec son animal et dit au vieux :

– Bonjour, Écureuil-Bleu. Je viens te montrer mon nouveau chien.

L'irascible bonhomme ôta ses pieds, donna un coup de jambe à l'ours et lui creva le ventre.

– Ce chien t'aurait ruiné en nourriture, ricana-t-il.

Puis, il saisit Jour-sans-Pluie par les épaules et le poussa dans le feu. Le jeune homme n'eut que le temps de cracher sur les flammes. Le feu s'éteignit et Jour-sans-Pluie put s'asseoir sur les cendres froides.

Fou de rage, Écureuil-Bleu voulut alors l'embrocher avec sa jambe. Mais Jour-sans-Pluie fit un pas de côté, la jambe entra dans le trou creusé par la taupe et y resta plantée.

Jour-sans-Pluie remarqua :

– Maintenant que j'ai éteint le feu et que tu ne peux plus bouger, je crains que tu ne prennes froid. Patiente un moment, je vais arranger cela.

Le jeune homme prit le rayon de soleil qui passait à travers le toit et le passa sur le ventre d'Écureuil-Bleu.

Les intestins du vieux se mirent à bouillir et son ventre éclata.

Hors de lui, Écureuil-Bleu tira plus fort sur sa jambe pour la sortir de terre.

Jour-sans-Pluie libéra les pattes de la grue, prit sa sœur par la main et s'enfuit avec elle. Tous deux coururent vers un étang. Derrière eux, les branches craquaient. Écureuil-Bleu avait réussi à se dégager et leur donnait la chasse.

Jour-sans-Pluie jeta une pincée de terre dans l'étang et une île se forma sur l'eau. Puis, le jeune homme saisit sa sœur dans ses bras et, d'un seul bond, sauta sur l'île.

Quand le vieux parvint au bord de l'étang il s'écria :

– Vous croyez peut-être pouvoir m'échapper parce que je ne sais pas nager. Attendez, je vais vous montrer qui je suis.

Il s'allongea sur le sol et se mit à aspirer l'eau du lac.
Et plus il buvait plus le niveau de l'eau baissait et plus l'estomac d'Écureuil-Bleu gonflait.
Bientôt l'étang fut presque vide et le vieux allait pouvoir passer à pied sec. Heureusement, la grue arriva. Voyant Écureuil-Bleu pareil à une outre énorme, elle s'écria :
– Je vais te rendre un dernier service, vieux grognon. Puisque tu as décrété que mon long bec pouvait servir de cuillère à pot, je vais remuer ta soupe à l'intérieur de ton ventre.
La grue piqua le vieux de tant de trous que l'eau jaillit de toutes les parties de son corps et remplit l'étang.
Écureuil-Bleu mourut de déshydratation. La grue s'envola vers le marais aux grenouilles. Le frère et la sœur s'établirent sur l'île. Triste-Mine les rejoignit et épousa Framboise-Sauvage.
Depuis ce jour-là, les loups cessèrent de hurler dans la plaine.

L'HOMME QUI ENTRA AU PAYS-DES-OMBRES

ILLUSTRÉ PAR CHRISTIAN GUIBBAUD

LÉGENDE DE LA TRIBU DES CHINOOK

9 MINUTES

POUR SE JOUER DES SQUELETTES

Arc-Pointu vivait avec sa sœur. Celle-ci se nommait Tendre-Pousse.

Une Ombre, voulant acquérir une femme, allait de village en village. Elle arrêta finalement son choix sur Tendre-Pousse. Les parents de cette jeune fille reçurent autant de coquillages que pouvaient en contenir leurs deux mains, et le marché fut conclu. Tendre-Pousse partit donc pour le Pays-des-Ombres.

Arc-Pointu s'ennuya de sa sœur. Un jour, il décida de lui rendre visite, mais il ne connaissait pas le chemin menant à cette lointaine contrée. Il demanda aux animaux :

– Où vont les Indiens Chinook après leur mort ?
Les animaux haussèrent les épaules et ne lui donnèrent aucune réponse. Alors, Arc-Pointu interrogea les fleuves, les oiseaux, les fleurs, les montagnes. Personne ne put le renseigner. En désespoir de cause, Arc-Pointu posa alors la question à une vieille souche moisie.
– Règle-moi le prix de ton voyage, dit la souche, et je te conduirai où tu veux aller.
Arc-Pointu lui offrit tous les coquillages qu'il possédait.
– C'est parfait, ajouta le vieux tronc d'arbre. Pousse-moi à l'eau et monte sur mon dos.
Et l'arbre le conduisit au Pays-des-Ombres.
En abordant de l'autre côté du lac, Arc-Pointu découvrit un grand village. L'endroit lui déplut. Partout ce n'était que cabanes abandonnées, dont la plupart tombaient en ruine. D'une seule d'entre elles s'élevait une colonne de fumée. Arc-Pointu y pénétra et trouva Tendre-Pousse assise près du foyer.
– Tiens, voici mon frère, s'étonna la jeune fille. Es-tu mort ?
– Non. Tu vois bien que je suis vivant.
– Dans ce cas, tu aurais mieux fait de rester auprès de nos parents. Ici, la vie est bien triste.
Un squelette était allongé près de Tendre-Pousse.
– Pourquoi n'offrez-vous pas une sépulture à ces ossements ?
– Il ne s'agit pas de vulgaires os mais de mon époux.
« Ma sœur se moque de moi en prétendant qu'un squelette est mon beau-frère », pensa le jeune homme.
Puis il alla jeter un coup d'œil dans les autres cabanes. Toutes les habitations étaient occupées par des squelettes. Il songea : « Ce village est fréquenté par des gens étranges. »
Le soir venu, plusieurs personnes rendirent visite à sa sœur.
– D'où viennent ces étrangers ? demanda Arc-Pointu à sa sœur.
– Ce sont des habitants des autres huttes.
– Je n'y ai pourtant vu que des squelettes.

– Crois-tu que ceux-ci soient des êtres humains ? Ce ne sont que des Ombres.
Les visiteurs s'apprêtèrent à partir pour la pêche.
– J'y vais aussi, décréta Arc-Pointu.
Les villageois poussèrent à l'eau de vieux canoës vermoulus. Presque tous étaient troués et juste bons à faire du feu.
« Ces gens sont réellement inconscients », pensa le jeune homme. Cependant, les bateaux flottèrent sur l'eau et ne coulèrent pas.
Les gens parlaient entre eux. Arc-Pointu ne pouvait saisir ce qu'ils disaient. Il demanda à l'un d'eux :
– Pourquoi parlez-vous si bas ? Je vous entends à peine.
– Ici personne ne parle haut, dit l'autre sans plus d'explication.
Ils se mirent à pêcher. Chacun utilisait un filet vétuste aux mailles rongées par les vers. Arc-Pointu jeta le sien et ne ramena que deux branches pourries.
– Ce n'est pas un bon lieu de pêche, dit le jeune homme à haute voix.
N'obtenant pas de réponse, Arc-Pointu se retourna vers son compagnon et ne vit qu'un squelette au fond de l'embarcation.
Il jeta son filet à l'eau une seconde fois, le tira et le trouva plein de feuilles. Dégoûté, il les rejeta dans le lac, mais deux d'entre elles tombèrent dans le canoë.
Quand ils revinrent au village, Arc-Pointu vit que son compagnon de pêche avait un panier rempli de beaux poissons.
– Ton frère est fou, dit l'homme à Tendre-Pousse. Il rejetait tout ce qu'il prenait.
– Ce n'était que des branches mortes et des feuilles, répondit Arc-Pointu.
La jeune fille lui expliqua :
– C'est un mets délicieux que nous apprécions. Crois-tu que je sois en train de faire cuire autre chose ? Les branches sont des saumons et les feuilles des carpes.
Arc-Pointu alla chercher les feuilles tombées au fond de l'embarcation et revint avec deux carpes splendides.

Il les donna à sa sœur et réprima un rictus :
– Je n'aime décidément pas ce pays. On y fait tout à l'envers des autres.
Le lendemain, les chasseurs annoncèrent qu'ils avaient tué un orignal.
– Va m'en chercher un gros morceau, demanda Tendre-Pousse à Arc-Pointu.
Sur la place du village, le jeune homme ne découvrit qu'un tronc d'arbre dont les gens découpaient l'écorce.
Hors de lui, Arc-Pointu s'écria :
– Se moque-t-on de moi ici ? Pensez-vous que je ne sois pas capable de reconnaître un orignal d'un vieux tronc ?
Mais aux éclats de sa voix, les villageois se changèrent en squelettes. Alors, Arc-Pointu devint très insolent envers les habitants du village. Dès qu'il en apercevait un, il criait afin de le changer en squelette. Lorsqu'il entrait dans une cabane où gisaient des squelettes, il donnait des coups de pied dans les ossements, les dispersait ou les mélangeait.
Un jour, Arc-Pointu donna à un homme les bras d'une femme, et l'homme ne put plus porter de lourdes charges. Une autre fois, il donna à une femme une jambe plus courte que l'autre, et la pauvre femme boita durant toute une saison. La sœur finit par dire à son frère :
– Tu deviens impossible. Les gens d'ici ne peuvent plus te supporter. Mon mari estime que tu devrais rentrer chez toi.
Fou de rage, Arc-Pointu alla dans le coin de la cabane où était couché le squelette de son beau-frère, il saisit son crâne et le lança violemment contre un rocher. Le mari de sa sœur eut par la suite un si fort mal de tête qu'il dut recourir aux soins du sorcier.
Après cet incident, Arc-Pointu prit la décision de s'en aller. Sa sœur lui donna une calebasse.
– Prends cette eau. En route, tu traverseras trois prairies en feu. Mais sois économe de cette eau, car tu devras éteindre les incendies si tu veux retrouver les tiens sains et saufs.
Arc-Pointu partit. Il traversa une plaine couverte de coquelicots et éteignit le feu des fleurs avec la moitié de son eau.

Plus loin, il trouva une autre prairie en flammes. Il jeta encore de l'eau, et la franchit.
La troisième brûlait de partout.
Il essaya de combattre l'incendie, mais il ne lui restait plus assez d'eau. Alors, Arc-Pointu périt carbonisé !
Complètement transformé, le jeune homme revint au village de sa sœur. Il entrevit alors que celui-ci était changé.
– Quels beaux canoës vous avez là ! murmura-t-il.
– Autrefois tu prétendais qu'ils étaient pourris, lui fit remarquer sa sœur.
– Comme vous avez de belles huttes !
– Autrefois, tu prétendais qu'elles étaient branlantes.
– Est-ce les mêmes ?
– Oui. Mais aujourd'hui que tu es mort, tu les vois avec d'autres yeux.
Sur la place du village, les gens fredonnaient une chanson douce. Arc-Pointu ouvrit la bouche pour chanter avec eux à haute voix. À sa plus grande stupéfaction, aucun son ne franchit ses lèvres.
Les villageois se moquèrent de lui et dirent :
– Maintenant que tu es mort, tu ne peux plus crier comme avant, et c'est beaucoup mieux ainsi.

Le beau-frère d'Arc-Pointu l'invita à manger.
– Quel savoureux poisson tu me fais déguster.
– Ce sont les branches que tu dédaignais.

– J'étais fou alors.

– Non, dit sa sœur. Tu étais vivant.

Le matin, aux premiers rayons du soleil, Tendre-Pousse et son mari se couchèrent pour dormir et se transformèrent en squelettes. Se sentant fatigué, Arc-Pointu s'allongea aussi. Il tira la couverture sur ses épaules, mais le geste découvrit ses jambes et il ne vit que des ossements.

Alors, comme Arc-Pointu était, lui aussi, devenu un squelette, il resta pour toujours au Pays-des-Ombres.

POUR ALLER PLUS LOIN

Le Peau-Rouge espère le Pays-des-Chasses-Éternelles mais craint le Pays-des-Ombres. Sur la côte ouest, les membres de toutes les communautés croient que le Grand-Esprit les a mis sur terre pour y remplir une tâche bien précise : aider les autres ! Une légende veut que le Créateur leur ait prêté un corps, des viscères et quelques fonctions organiques pour que le tout fonctionne durant un temps. Charge à celui qui a hérité de la vie de ramener son corps entier au Grand-Esprit. Malheur au Peau-Rouge qui reviendrait amputé d'une seule partie de ce corps, ne serait-ce que de son scalp ! C'est pourquoi, prendre la chevelure d'un ennemi correspond à le priver des réjouissances du Pays-des-Chasses-Éternelles. Il connaîtra alors le Pays-des-Ombres qui ne recèle pas de gibier, ni d'orignaux, ni de poissons sous la forme que le Peau-Rouge leur connaît. De plus, ce Pays est hanté par des créatures bizarres avec lesquelles personne n'a envie de faire du troc, et encore moins de fumer le calumet. Une fois entré, le Peau-Rouge sait qu'il n'en partira jamais…

LE FILS QUI RÉHABILITE SON PÈRE

ILLUSTRÉ PAR FABRICE TURRIER

LÉGENDE DE LA TRIBU DES WICHITA

12 MINUTES

POUR TUER LES MONSTRES

Une femme cherchait des champignons dans une épaisse forêt. Elle venait de cueillir une morille quand une flèche vint se planter entre ses pieds. Elle l'arracha du sol et vit qu'elle possédait une belle pointe de silex blanc.

Un homme apparut, un arc à la main. C'était un chasseur de la tribu des Indiens Wichita. Il dit :

– Femme, donne-moi ma flèche.

La squaw cacha l'objet derrière son dos et répondit :

– Il n'y a aucune flèche par ici. Crois-tu qu'il en pousse aux arbres ?

L'homme tourna les talons et partit.

La femme s'aperçut alors qu'elle gardait une chose qui ne lui appartenait pas. Elle courut derrière le chasseur afin de lui restituer son bien.

Mais l'homme marchait à grands pas, et elle le perdit très vite de vue. Elle suivit ses traces toute la journée.
Le soir, elle parvint dans une clairière. L'homme se tenait assis au pied d'un arbre. Sans lui adresser la parole, la femme ramassa du bois et alluma un feu.
Le chasseur vint chauffer ses mains à la flamme.
– As-tu faim ? demanda-t-il à la femme.
– Oui, j'ai grand-faim ! répondit-elle.
À ces mots, le chasseur prit un trait dans son carquois, le plaça sur son arc et tira en l'air.
Un bruit sourd se fit entendre dans les taillis. La femme écarta les buissons et découvrit un gros cerf. Il gisait mort, la flèche du chasseur plantée dans le cou.
L'homme découpa une cuisse de l'animal et offrit le reste à la femme. Pendant qu'elle faisait cuire sa part, le Wichita dévora la sienne toute crue. La femme s'en étonna mais ne dit rien. Il faut préciser que le chasseur avait l'air particulièrement irascible.

Le lendemain, le chasseur mena la squaw à son campement, sans plus de formalité, et l'épousa sans lui demander son consentement.
C'est après la cérémonie qu'elle apprit par sa belle-mère que son mari se nommait Flèche-Magique. La vieille lui dit encore que son fils possédait un don exceptionnel. Il lui suffisait de tirer une flèche dans n'importe quelle direction pour la voir atteindre une proie.
Ce soir-là, pleine de respect pour son époux, la femme replaça discrètement dans le carquois du chasseur la flèche qu'elle lui avait subtilisée dans la forêt.

Comme, jour après jour, Flèche-Magique continuait à ne manger que de la viande crue, sa femme pensa qu'il ignorait toute autre nourriture et qu'il lui incombait de lui faire déguster une chair plus fine. Elle en fit part à sa belle-mère.

Celle-ci lui dit :
– Tu dois avoir raison, ma belle-fille. C'est sans doute à l'ingestion de toute cette viande crue que mon fils doit son air bourru. Nous allons changer son régime alimentaire à son insu.
Les deux femmes préparèrent une bouillie de maïs.
Le soir venu, profitant que l'homme dormait à poings fermés, elles lui ouvrirent la bouche, y versèrent la bouillie et lui pincèrent le nez pour qu'il l'avale complètement.
Au matin, Flèche-Magique parut tout changé.
Il n'avait plus sa mine rébarbative.
Hélas, le jour même, il revint de la chasse sans gibier. Il en fut de même les jours suivants.
Si bien que la disette s'installa au campement.
Soupçonnant quelque chose d'anormal et prise de remords, la femme se décida à confier l'histoire de la bouillie à son époux.

Flèche-Magique entra dans une grande colère.
– Femme stupide ! s'écria-t-il. Je communiquais mon pouvoir à ma flèche et tu nous as rendus faibles par ton geste inconsidéré. Prépare-toi à faire un long voyage. Je dois aller prendre la force d'un monstre qui vit loin d'ici si je veux continuer à te nourrir.
Ils partirent à l'aube et marchèrent si longtemps que les feuilles tombèrent des arbres.
Quand les grands ormes ne ressemblèrent plus qu'à des squelettes, Flèche-Magique s'arrêta et dit :
– Nous sommes arrivés chez le Monstre-Noir. Femme, ramasse du bois et allume un grand feu. La créature que je vais affronter puise sa force dans les ténèbres.
La squaw ramassa des branches, en fit un gros tas et alluma un feu. Puis elle récolta des glands sous un chêne. Elle les fit cuire et en offrit à son mari. Celui-ci en mit deux dans sa bouche et les recracha aussitôt.
– C'est dégoûtant ! cria-t-il. C'est avec une telle nourriture que j'ai perdu mon pouvoir. À l'avenir, abstiens-toi de me proposer pareille ignominie.
La femme mangea en silence, rongée par le remords.
Après le repas, son époux lui dit :
– La nuit tombe. Veille à ce que le feu ne s'éteigne pas. Sinon, je suis perdu. Le Monstre-Noir va venir me provoquer. Tu mettras du bois sur le foyer toutes les fois que je te le dirai ; la lumière des flammes atténuera sa puissance.
Ils se couchèrent, mais Flèche-Magique ne dormit pas. Au milieu de la nuit, il entendit des craquements sinistres. Il réveilla sa femme et lui souffla à l'oreille :
– Charge le feu. Le monstre n'est pas loin !
Une voix d'outre-tombe sortit de l'ombre :
– Tiens, voici un étranger installé sur mon territoire. N'as-tu donc pas de maison pour venir dormir sur mes terres ?
Le chasseur répondit :
– Je suis venu lutter avec toi.

– Voilà qui me plaît, rétorqua la voix. Es-tu prêt à engager le combat ?
– Viens plus près du feu, que je voie à quoi tu ressembles. On te dit très laid.
L'Esprit vint se poster dans la lumière. Il était réellement affreux.
L'homme et le monstre s'empoignèrent, tirant chacun d'un côté. Flèche-Magique voulait garder le Monstre-Noir dans la clarté des flammes et l'autre voulait l'emmener dans les ténèbres.
Mais Flèche-Magique perdit bientôt du terrain.
Il cria à sa femme :
– Charge le feu ! Inonde cette clairière de lumière.
Comme le combat durait et que le bois s'amenuisait, la femme courut en chercher d'autre. Quand elle revint, son mari avait été encore attiré plus loin.
Il lui cria une nouvelle fois :
– Charge le feu, ma femme ! Tu vois bien que je suis à la limite de l'ombre. Charge le feu ! Agrandis le rond de lumière !
La squaw repartit chercher du bois. De loin, elle entendit son époux crier :
– Reviens vite ! Le monstre m'emporte sans que je puisse résister. Charge le feu, ma femme !
La squaw courait dans tous les sens car le bois sec se faisait plus rare. Chaque brassée ranimait la flamme, mais il en fallait toujours davantage.
Bientôt, elle ne trouva plus que des branches mouillées. Elle les jeta sur le foyer.
Hélas, il n'en sortit qu'une épaisse fumée. Elle ne voyait plus son mari. Ses appels lui parvenaient maintenant d'un peu plus loin à chaque battement de son cœur…
Et le moment arriva où elle n'entendit plus ses cris. Le matin était là. La femme se retrouva seule. Elle pleura toute la moitié du jour. Puis, elle retourna dans son ancien village et reprit sa vie d'autrefois.
Une lune après cette aventure, la squaw mit un enfant au monde. Elle s'aperçut très vite qu'il s'agissait d'un bébé exceptionnel. À peine né, il se mit à marcher et réclama sa viande crue.

Sa mère le nomma Touche-le-Soleil.
Touche-le-Soleil grandit rapidement. Après que les astres du ciel eurent tourné six fois autour de la Terre, il était déjà un homme. Il pouvait pendre douze daims à sa ceinture et en tenir quatre sous chaque bras. C'est dire qu'il était voué à devenir un grand chasseur.

Lorsqu'il eut atteint sa majorité, sa mère lui conta la triste histoire qui était arrivée à son père. Les yeux de Touche-le-Soleil lancèrent des éclairs.
– Dis-moi où habite ce monstre, ma mère, que j'aille lui tirer les oreilles.
La femme lui indiqua l'endroit.
Il partit sans perdre un instant, sans prendre le temps de saisir une arme.
Touche-le-Soleil courut pendant trois jours.
Arrivé dans une épaisse forêt, il repéra des traces. Elles le menèrent au bord d'une crevasse profonde.
Il se baissa et regarda dans le trou. En bas, il vit un homme qui puisait de l'eau dans une rivière. Instinctivement, il reconnut son père.
Touche-le-Soleil lui cria :
– Ohé, l'homme ! Je suis ton fils ! J'ai l'intention de massacrer le monstre et de te ramener chez nous.

Le jeune homme se glissa dans la fente et rejoignit son père.
Flèche-Magique lui dit :
– Je savais bien que tu viendrais un jour. Néanmoins, je dois t'avertir que je ne combattrai pas le monstre avec toi. J'ai perdu toute ma force du jour où ta mère m'a fait manger de la bouillie.
– Cela n'a aucune importance, répliqua Touche-le-Soleil. Je me sens de taille à vaincre seul ce gringalet.
Puis, avisant les outres posées sur le bord de la rivière, il interrogea :
– Que fais-tu, mon père, avec ces récipients ?
– Je suis l'esclave de la famille du Monstre-Noir. C'est moi qui vais chercher l'eau quand ces affreuses créatures veulent se baigner.
Touche-le-Soleil éventra les outres à coups de pied.
– Ces monstres se prennent pour des potentats. Je vais leur apprendre la modestie. Mon père, montre-moi où ils se cachent.
Flèche-Magique mena son fils dans une caverne. Dans le fond, le Monstre-Noir et sa femme étaient assis sur deux grosses pierres. Devant eux, leurs six enfants s'amusaient à tuer une souris en crachant dessus des dards de glace. Ces petits monstres ressemblaient bien à leurs parents. Chacun d'eux possédait dix bras velus et des mains griffues.
Dès que le Monstre-Noir aperçut Touche-le-Soleil, il ordonna à ses petits de sauter dessus et de le mordre. Car ce père indigne apprenait la méchanceté à ses enfants.
Les jeunes monstres poussèrent des cris affreux et bondirent sur Touche-le-Soleil. Ils le griffèrent, le mordirent et burent son sang en s'agrippant à lui.
Attaqué de partout, Touche-le-Soleil résista néanmoins à l'assaut. Il se secoua énergiquement, expédiant les abominables créatures aux quatre coins de la caverne.
C'est à ce moment qu'il découvrit ce qui pendait du plafond. C'était huit choses molles, de couleur rouge ; elles palpitaient en cadence…
Saisissant un gourdin qui traînait sur le sol, Touche-le-Soleil frappa le père des monstres.

– Dis-moi, mauvaise bête, quelles sont ces hideuses cochonneries qui pendent de ton plafond ?
À ces mots, les jeunes monstres voulurent se jeter une nouvelle fois sur Touche-le-Soleil. Celui-ci les repoussa avec son bâton et recommença à taper sur le père pour lui faire dire de quoi il s'agissait.
– N'y touche pas, implora le Monstre-Noir. Ce sont nos cœurs. Nous les fixons toujours à la voûte de la grotte. Ainsi, lorsque nous livrons un combat à l'extérieur, personne ne peut nous tuer.
– Tu as bien fait de m'apprendre ce détail, ricana Touche-le-Soleil. Je vais tous vous guérir de votre cruauté.
Il saisit la flèche passée dans la ceinture de son père et perça les cœurs un à un.
Tous les monstres moururent instantanément.
– Tu es libre désormais, dit-il à Flèche-Magique. Reviens dans ton village, ta femme t'attend.
Sur le chemin du retour, Touche-le-Soleil dit encore à son père :
– Je sens que ma force naturelle s'est encore augmentée de celle des monstres. Je vais la partager avec toi, il m'en restera bien assez.
Il prit le petit doigt de Flèche-Magique, l'introduisit dans sa bouche et souffla dedans très fort.
Une puissance nouvelle irradia tout le corps de son père. Flèche-Magique posa alors sa flèche sur son arc et tira vers les nuages. Un choc eut lieu derrière un arbre. Les deux hommes le contournèrent et découvrirent un énorme cerf percé par la flèche.
– Mon pouvoir est revenu ! s'écria Flèche-Magique. Viens, mon fils, gagnons le village, les gens doivent mourir de faim depuis ma longue absence.

De retour dans la tribu, le père et le fils prirent l'habitude de chasser ensemble. Ils tuaient tant de gibier qu'ils pouvaient en offrir aux voisins. Et le temps arriva où les Indiens Wichita ne mangèrent plus que de la viande.

Beaucoup plus tard, un matin, Flèche-Magique dit à Touche-le-Soleil :
– Nous sommes vieux, maintenant. Je crois que nous devrions quitter les hommes pour toujours et changer d'apparence.
Ils s'assirent sur un haut rocher et attendirent toute la journée. Quand la nuit tomba, ils montèrent au ciel et devinrent deux étoiles, qu'aujourd'hui encore il est possible de contempler.

Voilà pourquoi, de nos jours, chez les Wichita, les enfants recrachent la bouillie de maïs que leur mère voudrait leur faire manger.

ON NE BADINE PAS AVEC L'AMOUR

LES PLUS VALEUREUX

ILLUSTRÉ PAR CHRISTIAN GUIBBAUD

LÉGENDE DE LA TRIBU DES DATSA

6 MINUTES

POUR SE FAIRE PUNIR

Dans une certaine tribu des Grandes Plaines, les hommes pensaient que le Grand-Esprit était leur cousin. C'est pour cela qu'ils s'étaient eux-mêmes nommés Idatsa [1]. Persuadés que leur parent avait fait d'eux les plus intelligents, les plus forts, les plus courageux hommes de la terre, ils ne cessaient de clamer leurs inestimables qualités. Une femme ne pouvait plus demander à un Brave d'aller chercher du bois sans s'entendre répondre :
– Qu'as-tu dans la tête pour oser me demander pareille chose ? Ne sais-tu pas que je suis uniquement voué à une vie glorieuse ? Exécute toi-même cette tâche infamante !

1. Idatsa : les Vrais-Êtres.

Certains, pour se singulariser, formèrent un clan. Le chef de ces élus déclara un soir au conseil :
– Nous sommes maintenant des Chiens-Guerriers. Seuls les combats dangereux nous intéressent. Nous faisons vœu de ne plus mourir dans nos lits mais de trépasser les armes à la main au cours d'un engagement.
Afin de n'être pas confondus avec les chasseurs de la tribu, ces orgueilleux se confectionnèrent d'énormes coiffes de plumes et portèrent sur leur corps nu de longues bandes de peau teintes en rouge.
Et vint le moment où tous les jeunes Braves n'eurent plus qu'un désir : clamer très haut le courage qu'ils prétendaient sentir monter en eux afin d'être admis dans le clan des Chiens-Guerriers.
Alors, on ne vit plus dans le village que des femmes surchargées de travail et des hommes se pavanant comme des paons.
Une jolie jeune fille, qui s'appelait Celle-qui-n'a-Connu-Aucun-Homme, cherchait justement à se faire épouser. Elle fit part de son anxiété à sa vieille tante :
– Comment vais-je pouvoir trouver un mari ? Les jeunes hommes de cette tribu ne font pas attention à moi. Ils ne rêvent que de carnage et ne pensent même pas à regarder les femmes.
La vieille, veuve pour la cinquième fois, était pleine d'expérience. Elle lui conseilla :
– Fais-toi belle. Mets ta robe de bison blanc, tes plus riches colliers et promène-toi sur la place à la tombée du jour.

Le soir, Celle-qui-n'a-Connu-Aucun-Homme tourna en rond sur la place du village, sourit aux hommes, fit tinter ses bijoux ; sans résultat.
Le lendemain, elle fit part de sa déconvenue à sa tante.
La vieille lui dit :
– Recommence ce soir, et demain encore s'il le faut. Un jour viendra où un homme s'intéressera à toi.
Hélas, ce fut peine perdue. Les saisons passaient.
Celle-qui-n'a-Connu-Aucun-Homme se sentait vieillir et désespérait un peu plus chaque année.
Quand elle eut vu tomber soixante neiges, sa tante s'écria :
– Cela ne peut plus durer. Avec tous ces hommes prétentieux, nous n'aurons bientôt dans ce village que des filles à marier. Désigne-moi le Brave qui t'intéresse, nous allons lui lancer un sort.
Depuis longtemps déjà, Celle-qui-n'a-Connu-Aucun-Homme avait jeté son dévolu sur Éclat-d'Os. Elle le désigna à sa tante. Celle-ci prépara un tabac spécial à base d'herbes mystérieuses et dit à sa parente :
– Prends ce sachet. Il contient une médecine d'amour. Ce soir, lorsque les Braves seront autour du feu, tu offriras ce tabac à Éclat-d'Os. Veille bien à ce qu'il fume entièrement, sans cela le pouvoir de ces herbes n'agirait pas.
Dès la nuit tombée, les hommes formèrent un cercle autour du foyer. Celle-qui-n'a-Connu-Aucun-Homme s'approcha d'Éclat-d'Os et lui tendit le sachet.

– Voici pour toi, lui dit-elle. Fume ce tabac, il est très odorant et tu l'aimeras beaucoup.
Mais le jeune homme la toisa avec colère.
– Crois-tu que je sois un être ordinaire pour fumer ce tabac. Un homme de ma condition n'a que faire de plaisirs aussi vulgaires.
Désorientée, Celle-qui-n'a-Connu-Aucun-Homme revint conter la chose à sa tante.
– C'est bon, fit cette dernière. Puisque cet homme ne veut pas fumer, je le ferai pour lui.
La vieille bourra sa pipe avec le tabac magique et l'alluma. À chaque bouffée qu'elle aspirait, la tante devenait un peu plus transparente. Elle s'évanouit presque. Mais en réalité elle ne faisait que changer d'aspect. Une fois le tabac entièrement consumé, la vieille apparut sous les traits d'un beau jeune homme. Ce Brave avait le cœur tendre et n'aspirait qu'à se marier.
– Puisque tu cherches femme je serai ton épouse, dit Celle-qui-n'a-Connu-Aucun-Homme.
Le Brave répondit tristement :
– Cela est malheureusement impossible. Bien que j'aie l'apparence d'un homme, je suis toujours ta parente. Il ne convient pas à une jeune fille d'épouser sa tante.
– Alors, rien n'est changé, gémit Celle-qui-n'a-Connu-Aucun-Homme.
– Si ! dit l'homme-femme. Tu vas voir. Accompagne-moi jusqu'au feu de camp.
À la vue de ce jeune Brave qu'ils ne connaissaient pas, les hommes ironisèrent.
L'un d'eux ricana :
– Voyez cet étranger. Il ne porte pas la coiffe ronde sur sa tête, ce n'est certainement pas un Chien-Guerrier.
Un autre ajouta :
– Ce doit être un homme ordinaire. Le feu va mourir, demandons-lui d'aller ramasser du bois.

Au lieu de répondre, l'homme-femme aspira un grand coup et souffla avec force en direction du foyer. La fumée du tabac magique qu'il avait aspiré sortit par sa bouche, par ses narines et recouvrit entièrement l'assemblée. Le vent du nord la dissipa et Celle-qui-n'a-Connu-Aucun-Homme poussa un cri.
Tous les hommes présents avaient été changés en dindons.
Tous, sauf un, Éclat-d'Os. Mais il était si vieux qu'il ne pouvait plus prétendre être un Chien-Guerrier.
En expulsant la fumée par ses narines, l'homme-femme était redevenu la tante de Celle-qui-n'a-Connu-Aucun-Homme.
Elle dit à Éclat-d'Os :
– À ton âge tu as besoin d'une femme pour préparer tes repas. Je te propose ma parente. Elle devrait te convenir parfaitement puisqu'elle a vu tomber autant de neiges que toi.
Le vieux se déclara satisfait et Celle-qui-n'a-Connu-Aucun-Homme vécut très heureuse avec lui.

Les descendants de ces Idatsa sont toujours aussi prétentieux. Toutefois, de nos jours, ils ont visage humain. Et si par hasard l'un d'eux rencontre un dindon, il cache un petit sourire et va méditer sous sa tente.

POUR ALLER PLUS LOIN

Les Hommes-Médecine, dotés de pouvoirs surnaturels, fournissent, souvent dans le plus grand secret, des philtres magiques à ceux qui en ont besoin. Ils sont aussi compétents en matière de sortilèges.

LA FILLE QUI AIMAIT BIEN SON PROMIS

ILLUSTRÉ PAR MURIEL KERBA

LÉGENDE DE LA TRIBU DES CROW

7 MINUTES

POUR ALLER SAUVER SON AMOUREUX

Plusieurs jeunes hommes de la tribu des Corbeaux étaient sur le sentier de la guerre. Un peu avant d'arriver à l'endroit où le Fleuve-des-Pierres-Jaunes quitte la montagne, ils durent livrer combat à une troupe de Pieds-Noirs. Deux Corbeaux moururent dans cet engagement. Plus loin, en voulant traverser la Rivière-qui-Hurle-entre-les-Cailloux, les rescapés se heurtèrent une nouvelle fois à l'ennemi.
Trois Corbeaux perdirent la vie dans cette seconde rencontre.
Aigle-Blanc avait reçu une flèche dans le mollet. Sa blessure l'empêchait d'aller plus loin. Le chef de l'expédition décréta :
– Aigle-Blanc n'est plus en état de marcher. Nous allons le laisser ici jusqu'à ce que sa jambe guérisse. Si nous voulions l'attendre, nous serions tous exterminés.

Il fut convenu que, si Aigle-Blanc n'était pas de retour dans la tribu après la Lune-où-la-Neige-entre-dans-les-Tipis, sa mort glorieuse serait proclamée. Les guerriers lui bâtirent un abri afin qu'il puisse y passer l'hiver sans trop souffrir. Ils lui offrirent toutes les provisions qu'ils purent lui abandonner et placèrent ses armes à côté de lui. Enfin, ils partirent.
De retour au village, les guerriers expliquèrent ce qui s'était passé. Les sages affirmèrent que ces Braves avaient agi au mieux des intérêts de tous. Mais une jeune fille n'était pas de cet avis. Elle se nommait Pluie-Femelle et ne voulait nullement abandonner son fiancé durant tout un hiver. Son frère avait fait partie de l'expédition, elle lui demanda :
– Avez-vous laissé Aigle-Blanc très loin ?
– Au-delà des Montagnes-Coiffées-de-Neige, répondit le frère.
– Il sera mort de froid avant la fin de la Lune-où-la-Marmotte-sort-de-son-Trou, déclara Pluie-Femelle. Indique-moi le chemin, je vais aller le chercher.
Le jeune Brave répliqua :
– C'est déjà un très long voyage pour un homme, comment une femme seule pourrait-elle gagner cet endroit ?
Mais Pluie-Femelle insista tellement que son frère lui dit :
– Va jusqu'à la rivière à truites et remonte le courant jusqu'à l'endroit où elle forme un lac. Si la glace est assez épaisse, passe sur l'autre rive et gagne le mont où le cours d'eau prend sa source. Contourne cette élévation dans le sens de la course du soleil et dirige-toi vers cette forêt de pins que les castors utilisent pour construire leur barrage. Derrière ce bois, il y a un marais tapissé de nénuphars. Ne t'y aventure pas car il est très dangereux. Marche en direction des deux montagnes et emprunte le Défilé-des-Ombres. Au bout de cette passe s'élève un rocher dont la forme rappelle un chasseur à l'affût. Après ce roc s'étend une grande plaine. C'est là que tu trouveras ton promis. En cette saison, tu ne pourras franchir cet espace qu'avec des raquettes à neige. Ménage tes forces et fais très attention. Les loups hantent les parages et l'ours a sa caverne tout près du lieu où nous avons laissé Aigle-Blanc.

Pluie-Femelle chargea du bois et des provisions sur son dos et se mit en route. La Lune-des-Feuilles-Pauvres était déjà à sa fin et le Moment-où-les-Vivres-Doivent-être-Rentrés commençait à peine. Pluie-Femelle marcha le temps d'une saison. Au cours de ses rares haltes, elle se chauffait peu et mangeait le moins possible afin de ne pas appauvrir ce qu'elle destinait à Aigle-Blanc.

Quand elle arriva dans la plaine, une tempête sévissait. À travers les flocons de neige, elle aperçut néanmoins une fine colonne de fumée. Elle pensa aussitôt : « Je n'arrive pas trop tard, il est encore vivant. »

Aigle-Blanc était assis devant un maigre feu. Sa provision de bois touchait à sa fin et il n'avait plus de nourriture depuis la veille.

Pluie-Femelle lui dit :

– Je suis venue t'aider. De quoi as-tu besoin ?

– J'ai froid et j'ai faim, répondit le jeune Brave.

Lorsque la femme eut ranimé le feu et restauré Aigle-Blanc, elle mit de la terre vierge sur sa blessure.

– Ainsi, tu guériras plus vite, assura-t-elle.

La jambe du guerrier était si enflée qu'il ne pouvait se déplacer qu'en rampant sur le ventre. Durant toute la Lune-de-la-Neige-Aveuglante, Pluie-Femelle posa des pièges. Il lui arrivait de prendre un renard ou un castor. Ces fois-là, la jeune femme offrait un véritable festin à Aigle-Blanc. Mais le plus souvent, elle ne parvenait qu'à dérober ses provisions à un rat musqué. Alors la faim se refaisait sentir.

À la Lune-où-les-Oies-Remontent-vers-le-Nord, Aigle-Blanc déclara :

– Le dégel est commencé. Construis un canoë avec des branches de saule et des peaux de cerf. Dès que le fleuve sera libre, nous retournerons dans notre tribu. Le sorcier doit nous croire morts et s'apprête certainement à chanter nos funérailles.

Le bateau fut bientôt terminé. L'homme et la femme allaient partir quand Pluie-Femelle repéra une bande de chasseurs en aval de la rivière.

– Ce sont sûrement des Pieds-Noirs, dit Aigle-Blanc. Va te cacher dans les collines ; s'ils te trouvent ici, ils te tueront avec moi.

Pluie-Femelle refusa d'abandonner son promis. Mais celui-ci insista tellement qu'elle convint avec lui :
– Je me posterai sur une hauteur afin de surveiller les Pieds-Noirs. Tant que je pousserai le cri du coyote, tu n'auras rien à craindre. Prends ce couteau et mets fin à tes jours si tu m'entends chanter comme le hibou. Je ne veux pas qu'ils te capturent vivant. Au cas où tu en arriverais à cette extrémité, je me supprimerais à mon tour.
Tout le jour, Pluie-Femelle épia les étrangers.
À intervalles réguliers, l'appel du coyote parvenait à Aigle-Blanc.
Puis, vers le soir, il n'entendit plus rien. Il pensa, la mort dans l'âme : « Les Pieds-Noirs ont dû découvrir Pluie-Femelle et la tuer. » Il se demandait comment il arriverait à regagner la tribu quand la jeune fille reparut devant lui.

– Vois, lui dit-elle, j'ai dérobé un attelage de chiens aux Pieds-Noirs. Nous allons profiter de la nuit pour partir.
Dès que la lune monta dans le ciel, ils abandonnèrent la cabane. Les chiens étaient en bonne santé et le traîneau solide. Mais une tempête de neige s'éleva et ils durent s'arrêter.
Pluie-Femelle recouvrit Aigle-Blanc à l'aide d'une couverture en peau de bison et se blottit contre lui pour le tenir au chaud. Ils disparurent très vite sous les flocons et leurs deux corps ne ressemblèrent plus qu'à un petit tas de neige.
Au matin, un oiseau se posa sur le blanc monticule et siffla une chanson. C'est ainsi que les jeunes gens surent que l'ouragan était passé.
Hélas, sitôt sortis de leur abri, ils constatèrent que l'attelage de chiens avait disparu.

– Ce n'est rien, déclara Pluie-Femelle. Monte sur mes épaules, je vais te porter.

En dépit de ce lourd fardeau, Pluie-Femelle marcha trois jours. À l'aube du quatrième, elle parvint finalement au village des Corbeaux.

Le soir même, Aigle-Blanc conta à toute la tribu ce que Pluie-Femelle avait fait pour lui.

L'histoire fut si bien écoutée qu'elle resta dans les mémoires.

Depuis, lorsqu'un Corbeau a besoin d'aide, il appelle sa femme ou sa fiancée.

L'INDIEN QUI GARDAIT SA FEMME EN CAGE

ILLUSTRÉ PAR CHRISTIAN GUIBBAUD

LÉGENDE DE LA TRIBU DES TLINGIT

6 MINUTES

POUR DÉLIVRER UNE FEMME

En ce temps-là, Fureur-d'Envie avait volé une femme dans une tribu ennemie. Cette Indienne se nommait Mocassins-Brodés. Elle était si jolie que Fureur-d'Envie la gardait jalousement enfermée dans une cage.

Quand il devait s'absenter, il la confiait à ses six oiseaux verts, des rapaces bons gardiens et particulièrement dangereux.

Dans la cabane de Fureur-d'Envie vivait aussi sa sœur. Cette veuve avait trois fils sur le point de parvenir à l'âge adulte.

Fureur-d'Envie, étant d'une méfiance terrible, s'inquiétait de voir ces jeunes gens dans l'entourage de son épouse.

Un jour, il emmena ses neveux à la pêche. Puis, parvenu au milieu du lac, il les jeta à l'eau et les noya.
La mère fut très affligée de la perte de ses enfants.
Quelques jours plus tard, alors qu'elle ramassait du bois, elle rencontra un homme et lui raconta toute l'histoire.
L'étranger s'appelait Pensée-d'en-Haut. Il lui demanda :
– La femme de ton frère est donc si belle ?
– Oui, Mocassins-Brodés est très jolie.
– Ne peux-tu t'arranger pour me la faire voir ?
– Cela est impossible. En l'absence de Fureur-d'Envie, elle est sans cesse sous la surveillance de six oiseaux verts.
– Je vais me faire tout petit. Tu me cacheras dans ta ceinture et tu m'introduiras dans la hutte.
Ils firent ainsi.
Lorsque la veuve pénétra dans la cabane, les six oiseaux verts poussèrent des cris affreux.
– Il y a un homme ici ! mugit Fureur-d'Envie.
– Cherche, et tu ne trouveras que ton épouse, toi et moi, répondit la vieille femme.
Fureur-d'Envie fouilla partout et ne trouva personne d'autre.
Par surcroît de précaution, il enferma néanmoins Mocassins-Brodés dans sa cage.
– Comment vais-je parvenir jusqu'à elle ? se demanda Pensée-d'en-Haut.
Quand la veuve prépara le repas de la captive, il se fit encore plus petit et se laissa tomber dans l'écuelle. Mocassins-Brodés l'avala avec sa nourriture.
Peu de temps après, la jeune femme s'aperçut qu'elle était enceinte. À la Lune-des-Bourgeons, elle mit un bébé au monde. Les six oiseaux verts accueillirent mal cet enfant. Du matin au soir, ils n'arrêtaient pas de crier et menaient grand tapage dans la cabane.
Le petit garçon prospéra très vite. Après une lune, il savait déjà parler et marcher. Après deux lunes, il avait déjà la taille d'un jeune Brave.

Un soir, il dit à Mocassins-Brodés :
– Je ne suis pas ton vrai fils. J'ai usé de ce stratagème afin de t'approcher. Tu es bien trop jolie pour vivre enfermée. Dès que le moment sera propice, nous fuirons ensemble.
Un matin que Fureur-d'Envie était sorti, Pensée-d'en-Haut bourra une pipe avec son tabac magique et l'alluma. La fumée endormit les volatiles. Pensée-d'en-Haut tordit le cou aux oiseaux malfaisants. Puis il se rendit au bord du lac. Là, il tua une grue et la dépeça. Ensuite, il s'introduisit dans sa peau et s'entraîna à voler.
Lorsqu'il eut bien appris et qu'il put faire de longs parcours dans les airs, il dit à Mocassins-Brodés :
– Nous partirons demain à l'aube. Afin d'avoir une bonne avance, nous devons éloigner ton mari d'ici. Demande-lui d'aller te chercher des plumes à l'île aux oiseaux.
– Mais que lui dirai-je lorsqu'il verra que tu as tué ses six gardiens ?
– Tu lui expliqueras que tu as voulu jouer avec eux et qu'ils sont morts.
En effet, Fureur-d'Envie fut si heureux d'accéder au désir de sa jolie femme qu'il ne s'intéressa pas outre mesure au sort de ses oiseaux.
– J'en ramènerai six autres de l'île, décréta-t-il.
Dès qu'il fut parti, Pensée-d'en-Haut brisa la cage, enfila sa peau de grue, prit Mocassins-Brodés dans ses bras et s'éloigna à tire-d'aile. Ils volèrent ainsi toute la journée, tant que la peau de grue résista.

Mais le soir, elle commença à perdre ses plumes. Alors, Pensée-d'en-Haut et Mocassins-Brodés continuèrent leur route à pied.
Le soir, quand Fureur-d'Envie rentra dans sa hutte, il vit la cage brisée et constata la disparition de sa femme et de son fils.
– Où sont-ils ? demanda-t-il à la vieille veuve.
– Je ne sais pas. J'étais dans la forêt. Ton épouse était déjà partie quand je suis revenue.
Fureur-d'Envie chaussa alors ses mocassins magiques et partit à la poursuite des fuyards. Il faisait de si grandes enjambées que l'herbe prenait feu sous ses pas.
Pensée-d'en-Haut l'entendit venir de loin et dit à Mocassins-Brodés :
– Ton mari marche plus vite que nous. Bientôt il nous aura rattrapés.
– Nous sommes perdus, se lamenta la jeune femme.
– Pas encore. Attends et ne dis rien, je vais nous rendre méconnaissables.
Pensée-d'en-Haut se changea en chasseur et transforma Mocassins-Brodés en un petit écureuil qu'il suspendit à sa ceinture.
Quand Fureur-d'Envie surgit dans la clairière, il interrogea le chasseur :
– As-tu vu une femme et un jeune homme passer par ici ?
– Comment sont-ils ?
– Elle est très jolie et lui très laid.
Pensée-d'en-Haut fit semblant de réfléchir, et dit finalement :
– J'ai en effet vu un couple passer par ici. Mais le jeune homme était beau et la femme très laide.
– Ce n'est pas ceux dont il s'agit. Je vais donc les retrouver autrement.
À ces mots, Fureur-d'Envie ouvrit le sac qu'il portait sur le dos et en sortit six oiseaux verts.
– Volez, mes petits, et désignez-moi la femme et l'homme que je cherche.
Les hideux volatiles formèrent un cercle autour du chasseur et crièrent :
– Celui-ci est Pensée-d'en-Haut, et cet écureuil à sa ceinture est ta femme !
Fureur-d'Envie entra dans une colère folle.
– Battons-nous ! proposa-t-il.

– J'accepte, répondit Pensée-d'en-Haut.

Le chasseur prit une flèche dans son carquois et la posa sur la corde de son arc.

L'ignoble mari arracha un gros chêne et le leva au-dessus de sa tête.

Mais avant qu'il ait eu le temps de l'abattre sur Pensée-d'en-Haut, ce dernier lui décocha son trait entre les deux yeux.

Alors, des flammes sortirent de la bouche et des oreilles de Fureur-d'Envie.

Il oscilla, et au moment où il tomba mort sur le sol, les six oiseaux verts éclatèrent en mille morceaux.

Pensée-d'en-Haut et Mocassins-Brodés construisirent une cabane un peu plus loin. Ils s'épousèrent et vécurent comme de vrais amoureux.

L'ENFANT DU SERPENT

ILLUSTRÉ PAR FABRICE TURRIER

LÉGENDE DE LA TRIBU DES PIEGAN

12 MINUTES

POUR NE PLUS AVOIR PEUR DES SERPENTS

Dix Piegan revinrent d'une attaque chez les Sioux. L'un d'eux, Oreille-d'Ours, avait fait une prisonnière. Cette jeune fille se nommait Visage-d'Ombre. Elle était si belle qu'Oreille-d'Ours la surveillait étroitement afin de la soustraire à la convoitise des autres guerriers.

Les gens du village organisèrent un repas pour fêter la victoire de ces Braves. Alors que la cérémonie battait son plein, plusieurs guerriers lièrent la femme sioux à un piquet dans l'intention de la brûler. Prévenu à temps, Oreille-d'Ours bondit à côté d'elle, coupa ses liens et s'écria bien haut :

– Laissez cette jeune fille, elle est ma prisonnière ! J'ai l'intention de l'épouser. Celui qui s'estimerait lésé dans cette affaire peut venir sous mon tipi, je lui offrirai une peau de bison.

Les sages essayèrent de dissuader Oreille-d'Ours de convoler avec cette femme, prétextant que cette union allait créer des jalousies. Mais le guerrier ne voulut rien entendre et il prit Visage-d'Ombre pour femme dès le lendemain.

À quelque temps de là, Oreille-d'Ours remarqua que son épouse menait une vie solitaire et que la tristesse l'habitait. Il lui en demanda les raisons et elle lui répondit :

– Les femmes de ta tribu ne m'emmènent jamais avec elles lorsqu'elles vont cueillir des baies ou ramasser du bois. Elles sont furieuses contre moi. Elles prétendent qu'un guerrier aussi réputé que toi n'aurait jamais dû épouser une femme sioux.

Oreille-d'Ours pensa que ce n'était là que bavardages de femmes. En revanche, il s'aperçut que les jeunes hommes du village cherchaient à courtiser Visage-d'Ombre. Il demanda donc à sa femme de les éviter en restant le plus souvent possible sous son tipi.

Mais les Braves prirent l'habitude de venir chaque soir rôder autour de la tente en jouant de la flûte d'amour à six trous. Ces avances finirent par si bien exaspérer Oreille-d'Ours qu'un jour il pensa : « Je dois surveiller mon épouse plus étroitement encore. Sinon, elle succombera à l'un de ces amoureux et je la perdrai pour toujours. »

Enfin, après une saison, Visage-d'Ombre mit un bébé au monde. Oreille-d'Ours se dit : « Cet enfant est le bienvenu. Maintenant, mon épouse ne sera plus seule et les hommes la laisseront en paix. »

Toutefois, la nuit suivante, Oreille-d'Ours eut un songe. Il rêva qu'une tortue lui disait : « Ce petit n'est pas ton fils. Il ne possède pas des oreilles d'ours et il n'a pas de poils sur le corps. »

À son réveil, le guerrier inspecta minutieusement l'enfant. Puis il alla voir le sorcier et lui fit part de ses soupçons.

Le vieil homme lui dit :

– Tous les bébés n'ont pas les mêmes oreilles que leur père. Quant aux poils, attends encore une lune, ils pousseront bien un jour.

Oreille-d'Ours prit son mal en patience.

Et après le délai fixé, il retourna chez le sorcier. Il lui déclara :
– J'ai encore bien examiné le bébé ce matin. Aucune toison n'apparaît sur le corps de cet enfant.
Le vieil homme brûla des herbes sacrées, fuma un crapaud séché, et dit :
– Les Esprits me conseillent de t'aider. Je vais ordonner la Danse-des-Amours-Secrets. Tu ne pourras pas obliger ta femme à y participer. Néanmoins, il t'appartient de la persuader d'assister à cette cérémonie.
Oreille-d'Ours abandonna un quartier de viande au sorcier pour le remercier et retourna sous son tipi.
Le lendemain dès l'aurore, les crieurs annoncèrent aux femmes de la tribu que la Danse-des-Amours-Secrets aurait lieu le soir même. Toute la journée, des chants magiques s'échappèrent de la tente du sorcier. Ensorcelées par la complainte, beaucoup d'épouses se préparèrent dans une grande fébrilité.
Cette danse, aussi appelée la Grande-Confession-des-Femmes, n'avait lieu que très rarement. Elle ne pouvait commencer que sur l'ordre du sorcier, après qu'un mari jaloux le lui eut demandé. Aucune femme n'aurait osé mentir à cette occasion. Le chant du sorcier menaçait les épouses des pires calamités au cas où l'une d'elles aurait voulu cacher la vérité.
À la nuit tombée, les crieurs appelèrent les Piegan à la fête. Les hommes s'assirent en cercle autour d'un grand feu et les tambours résonnèrent sourdement. Le sorcier clama :
– Dansez, femmes ! Montrez-nous qui sont vos amoureux !
Quelques épouses pénétrèrent timidement dans le cercle et commencèrent à exécuter un pas particulier.
Chacune de ces femmes s'était habillée ou peinte de façon à ressembler à l'homme qu'elle avait aimé. Elle adoptait aussi sa démarche, ses manières, afin que les curieux puissent aisément le reconnaître. Les infortunés époux riaient avec les heureux amants, car en aucun cas la Danse-des-Amours-Secrets ne devait créer ni amertume ni ressentiment.
Une femme recouverte d'une peau de daim sauta prestement par-dessus le feu et fit savoir ainsi que son amant était Daim-Agile.

Une autre, la robe rembourrée avec de l'herbe, la face recouverte d'un masque surmonté de deux cornes, fit comprendre qu'elle avait aimé Gros-Buffle.
Les tambours accélérèrent la cadence et le sorcier cria encore :
– Dansez, nos épouses ! Montrez-nous qui nous remplace en notre absence !
Alors, d'autres femmes entrèrent dans la danse et des cris de joie fusèrent de l'assemblée.
Oreille-d'Ours ne vit pas Visage-d'Ombre. Il la chercha et la trouva dans son tipi. Il lui dit :
– Ne désires-tu pas danser ? Beaucoup d'épouses sont déjà entrées dans le cercle et la nuit ne fait que commencer. Viens rire avec nous.
Visage-d'Ombre eut un geste de dénégation. Oreille-d'Ours insista :
– Ce soir, aucune femme ne garde secret le nom de son amant. Il n'est pas déshonorant de s'amuser avec un autre homme que le sien lorsqu'on l'avoue ouvertement. Demain, d'ailleurs, les époux auront tout oublié.
Le son du tambour parvenait jusque sous le tipi. Là-bas, la danse devenait frénétique.
Les cris joyeux éclataient de partout. De nouvelles femmes entraient dans le cercle et la voix du sorcier se faisait plus pressante :
– Venez, jolies compagnes ! Hâtez-vous de venir nous montrer d'autres masques. Venez nous amuser en nous faisant découvrir vos amours.
Visage-d'Ombre, subjuguée par les rires et les chants, dit enfin :
– C'est bon. Retourne auprès du feu, j'irai danser. Laisse-moi le temps de me confectionner une tenue.
Oreille-d'Ours retourna s'asseoir dans le cercle.
Les femmes étaient maintenant plus nombreuses. Certaines, parmi les plus frivoles, dansaient un court instant, partaient changer de masque et d'apparence et revenaient en simulant un nouveau personnage.
Vers la fin de la nuit, il n'y eut presque plus de danseuses. Les Piegan crurent que la fête allait se terminer là. C'est alors que Visage-d'Ombre arriva.

Une fois dans le cercle, elle ôta la couverture qui la recouvrait et apparut entièrement nue. Tout son corps était enduit de peinture jaune et finement parsemé de points noirs. Oreille-d'Ours se demanda : « Quel Brave arbore ces couleurs quand il va chasser ? Quel homme se peint de cette façon lorsqu'il part sur le sentier de la guerre ? »
Chacun parmi les Piegan cherchait l'heureux amant. Personne ne parvenait à avancer un nom.
Visage-d'Ombre s'allongea sur le sol. Un sifflement aigu sortit d'entre ses dents, sa langue pointa. Puis, elle se mit à ramper dans l'herbe.
Soudain, ce fut un cri d'effroi.
Un spectateur cria :
– J'ai trouvé ! Elle imite le serpent !
Un autre hurla :
– Le serpent jaune moucheté de noir est son amoureux !
Cette découverte sema l'épouvante dans la foule. Tous voulurent se ruer sur elle et lui écraser la tête.
Oreille-d'Ours courut jusqu'à elle, jeta la couverture sur ses épaules et la mena dans son tipi.
Il lui dit en riant :
– Ainsi tu as pu me tromper malgré ma surveillance.
Visage-d'Ombre répondit :
– Aucun homme de cette tribu ne m'a approchée. Mon seul amant est le Génie-des-Serpents. Mon enfant est son fils.
Oreille-d'Ours bouda un moment comme il était d'usage en pareil cas. Puis, il se coucha et s'endormit.
À son réveil, Visage-d'Ombre n'était plus là. Il pensa : « J'ai boudé trop longtemps. Mon épouse a dû croire que j'étais affligé et elle est partie pour ne pas m'imposer sa présence. »
Toute la journée, Oreille-d'Ours chercha sa femme.
Le soir, triste d'avoir perdu sa belle épouse, il quitta le village avec l'enfant du serpent. Et pendant qu'il cheminait il se disait : « C'est bizarre, j'aime cet enfant comme s'il était le mien. »

Oreille-d'Ours planta son tipi dans une grande plaine. Il y vécut misérablement en s'accusant d'avoir inconsciemment chassé Visage-d'Ombre.

L'enfant grandit sans que son père adoptif ait à s'en occuper. À chaque repas, il déclarait ne pas avoir faim et ne mangeait rien de ce qu'Oreille-d'Ours apportait.

Bien que l'enfant prospérât normalement, le Brave s'inquiéta.

Il s'en ouvrit à un chien de prairie qui avait son terrier à quelque distance.

– Je ne comprends pas ce qui arrive. Cet enfant n'absorbe rien de mes chasses et pourtant il grandit de souhaitable façon.

– Ce garçon doit être habité par un génie, répondit le chien de prairie. Hier, je l'ai surpris en train d'avaler des sauterelles, et ce matin il croquait un gros lézard. Crois-moi, cet enfant n'est pas ordinaire.

Oreille-d'Ours réfléchit à la chose et il fut consterné d'avoir à élever un tel enfant.

Cette nuit-là, Visage-d'Ombre lui apparut en rêve. Elle était plus longue et plus mince qu'auparavant, et son corps recouvert d'écailles brillait magnifiquement.

Elle dit à Oreille-d'Ours :

– Ne sois pas triste, mon ancien mari. Avant que tu me captures chez les Sioux, j'étais déjà la femme de Génie-des-Serpents. Je t'ai quitté pour ne pas aiguiser sa jalousie. Retourne chez tes frères, les Piegan, et trouve une femme qui élèvera mon fils. Nommez-le Fils-du-Serpent. Il possède un don que lui a donné son père. Tant que vous ne lui ferez pas de mal, il vous procurera la prospérité.

Le jour suivant, Oreille-d'Ours plia sa tente et regagna sa tribu. Depuis longtemps déjà la famine sévissait. Le gibier avait fui la contrée et les Piegan en étaient réduits à manger des racines.

Or, dès le retour de Fils-du-Serpent dans le village, les choses changèrent subitement. Les bisons vinrent se jeter sur les flèches des chasseurs et les buissons se couvrirent de baies.

Le sorcier fuma sa pipe sacrée, prit un bain de vapeur et déclara finalement :
– Je viens d'avoir un songe au cours duquel j'ai conversé longuement avec le Grand-Esprit. Il vous fait savoir par ma bouche que vous devez cette abondance inhabituelle à Fils-du-Serpent. C'est ainsi que les Esprits-du-Ciel vous remercient d'avoir adopté un enfant étranger.
Dès lors, chacun rendit hommage au jeune garçon. Oreille-d'Ours trouva une nouvelle femme. Elle n'était pas tout à fait aussi belle que la première mais elle avait la peau un peu moins jaune et la voix beaucoup moins sifflante.
Quand Fils-du-Serpent fut devenu un jeune homme, il prit un beau jour la forme d'un reptile.
Il dit à son père adoptif :
– Étant donné mon nouvel aspect, je ne peux plus rester parmi vous.
Oreille-d'Ours lui répondit :
– Pourquoi t'éloignerais-tu ? Depuis que tu vis dans ce village, plus personne n'a peur des serpents.
– Je dois rejoindre ma vraie famille, dit le jeune homme. Mais sois assuré que je veillerai sur vous tant que vous ne ferez pas de mal aux serpents.
Puis, saisissant le masque utilisé par sa mère lors de la Danse-des-Amours-Secrets, il sortit du tipi et s'éloigna en rampant.
C'est pour cela que personne ne verra jamais un Piegan tuer un serpent. Lorsqu'il en rencontre un, il lui dit bonjour, le contourne et poursuit son chemin.

L'IMPOSSIBLE ÉPOUSE

ILLUSTRÉ PAR MURIEL KERBA

LÉGENDE DE LA TRIBU DES ASSINIBOINE

4 MINUTES

POUR ÉPOUSER UN SERPENT

Sur la terre, le feu avait tout détruit. La quasi-totalité des animaux avait péri dans l'incendie. Partout ce n'était que cendres et désolation.

Un ours avait échappé au cataclysme en se réfugiant dans une profonde caverne. Quand les flammes eurent consumé le bois des forêts et l'herbe des prairies, il sortit de sa grotte et partit à l'aventure. L'ours n'appréciait guère sa solitude. Il se dit : « Si seulement je trouvais quelqu'un avec qui discuter. Quelle idée ai-je eu de vouloir rester célibataire ! J'aurais bien dû prendre femme avant cet incendie. »

Il parcourut du regard le décor aride. Or, ne voilà-t-il pas qu'il aperçut une forme étrange au sommet d'un rocher. Il s'en approcha et se trouva en présence d'un serpent.

– Je suis bien aise de te voir. Il y a longtemps que je marche et je désespérais de rencontrer un être vivant. Comment as-tu réussi à échapper au feu ?
– En me mettant à l'abri sous l'eau.
L'ours ajouta :
– Pourquoi ne pas essayer de vivre ensemble ? Je te propose de devenir ma femme.
Le reptile accepta et le plantigrade l'épousa sur-le-champ.
À la fin de ce premier soir, l'ours dit à sa compagne :
– Viens dormir dans ma caverne, nous y serons bien.
Le serpent répondit :
– Non. Je préfère m'allonger sur l'herbe. Voici un endroit qui me convient parfaitement.
Alors, le reptile se lova et s'assoupit. Le plantigrade dut donc dormir à la belle étoile, ce qui ne lui plut qu'à demi.
À l'aube, l'ours se mit en quête de quelque nourriture. Il trouva des baies et en apporta à sa femme.
– Eh, mon épouse, réveille-toi ! J'ai là un repas que tu apprécieras.
Mais le serpent prit un air dégoûté.
– Est-ce ainsi que tu veux me nourrir ? Ces baies ne constituent pas une nourriture digne d'un serpent.
L'ours tenta de trouver autre chose, mais n'y parvint pas. Sa femme lui fit donc la tête toute la journée.
Le soir, l'ours eut envie de jouer avec son épouse. Il entreprit de la chatouiller. Le reptile darda sa langue fourchue, ce qui eut pour effet de refroidir l'enthousiasme du plantigrade. Quand il voulut recommencer, le serpent poussa un sifflement aigu. L'ours en fut tellement effrayé qu'il en tomba sur le derrière.

Le lendemain, vers le milieu de la journée, le soleil chauffa fortement la terre. Le reptile s'allongea sur une grosse pierre et s'apprêta à faire sa sieste.
L'ours lui dit :
– Viens plutôt te mettre à l'ombre dans la forêt, nous y resterons jusqu'à ce que la chaleur baisse.
– Je suis très bien ici, répondit le serpent. Assieds-toi à côté de moi, nous allons bavarder.
L'ours s'exécuta et se mit à transpirer en abondance. Alors, le reptile conta des histoires de serpent, mais le plantigrade aurait préféré des histoires d'ours.
Enfin, n'y tenant plus, il gémit :
– Il fait bien trop chaud sur ce sol découvert, veux-tu me tuer ?
Le serpent répliqua :
– Ce n'est pas ma faute si cette façon de vivre ne te convient pas. Aussi, pourquoi portes-tu une épaisse fourrure en cette saison ?
L'ours tenta d'ôter son gros manteau et n'y parvint pas. Il prit donc cette décision :
– Reste ici à cuire si l'endroit te plaît. Moi, je vais me rafraîchir dans le sous-bois.
L'ours quitta son épouse. En chemin, il songea : « Cette femme n'est décidément pas comme moi. Elle a la peau nue alors que je porte une épaisse fourrure. De plus, nous ne mangeons pas les mêmes aliments et elle refuse d'habiter dans ma grotte. S'il n'y avait pas eu cet incendie, je me demande si l'idée me serait venue d'épouser une telle femme. »
Et soudain, plus lucide, l'ours dépassa le bois en grognant. Il trottina sans s'arrêter dans l'espoir de découvrir un pays où l'attendrait une autre femme.

LA FEMME VOLAGE

ILLUSTRÉ PAR FABRICE TURRIER

LÉGENDE DE LA TRIBU DES MOHICAN

6 MINUTES

POUR RÉCUPÉRER SA FEMME

Un certain Brave, nommé Chasseur-d'Élan, venait d'épouser une jolie femme. Cette squaw s'appelait Putois-d'Été, elle était bien robuste, bien grosse, comme les Mohican aimaient les femmes en ce temps-là.

À la belle saison, Chasseur-d'Élan lui offrait les peaux les plus fines. À la saison froide, il lui donnait les plus chaudes fourrures. Chasseur-d'Élan était aux petits soins pour son épouse. Jamais il ne la laissait seule. Lorsqu'il devait aller chasser, il la confiait, pour la distraire, à la garde de Branche-Brisée, son beau-frère.

Un jour, Chasseur-d'Élan tua un énorme cerf. Ne pouvant l'emporter, il alla chercher Branche-Brisée. Les deux hommes à peine partis, Putois-d'Été alla se promener au bord du fleuve.

Un inconnu accosta dans son canoë et l'emmena.

Lorsque les deux parents revinrent à leur wigwam, ils ne trouvèrent pas Putois-d'Été. Ils suivirent ses traces jusqu'au fleuve où elles s'arrêtaient. Chasseur-d'Élan et Branche-Brisée embarquèrent dans un canoë et longèrent la rive dans l'espoir de la trouver.

Après avoir pagayé un certain temps, ils aperçurent deux femmes qui récoltaient des patates douces.

Les hommes accostèrent et demandèrent aux femmes :

– Pourquoi remplissez-vous autant de paniers ?

– Notre époux a pris une troisième femme et nous devons la nourrir.

– Où l'a-t-il trouvée ?

– Sur le bord du fleuve.

– Comment est-elle ?

– Elle paraît aimer beaucoup les hommes.

« Il s'agit certainement de Putois-d'Été » pensa Chasseur-d'Élan.

Il interrogea encore :

– Et où habite votre époux ?

– De l'autre côté de l'eau.

– Comment gagnez-vous la rive opposée, vous n'avez pas de canoë ?

– Lorsque nous revenons de déterrer des patates, nous appelons notre mari et il vient nous chercher.

Chasseur-d'Élan et Branche-Brisée s'entretinrent avec les deux femmes, posant les questions qui les intéressaient. Puis ils saisirent les femmes par les narines et les secouèrent tant que leur squelette tomba en morceaux sur le sol. Ils cachèrent les os au creux d'un fourré et revêtirent les peaux des deux femmes.

Ainsi déguisés, Chasseur-d'Élan et Branche-Brisée se contemplèrent.

– Qu'en penses-tu, ai-je l'air d'une squaw ?

– À la perfection. Quant à moi, cette peau est bien trop large, j'ai dû la rembourrer avec de l'herbe sèche.

Alors, les chasseurs empoignèrent les paniers de patates et crièrent vers l'autre rive :

– Ohé, notre mari ! Viens nous chercher ! Nous avons de quoi manger pour ta troisième femme.

L'homme arriva dans son canoë et dit :

– Quelle voix grave vous avez aujourd'hui !

– L'écorce de bouleau que nous avons mâchée l'a rendue rauque.

Arrivés au wigwam de l'homme, les deux chasseurs firent la cuisine et distribuèrent les patates comme il convenait. La vieille grand-mère en reçut une et l'homme aussi. Putois-d'Été eut la plus belle et les chasseurs mangèrent les épluchures.

Après le repas, Chasseur-d'Élan et Branche-Brisée accompagnèrent Putois-d'Été à la rivière, afin qu'elle procédât à ses ablutions comme elle en avait l'habitude. Les chasseurs se firent reconnaître et lui dirent :

– Nous sommes venus te délivrer.

– Comment y arriverez-vous ? Mon nouveau mari est très méfiant.

– Nous avons notre plan, mais tu dois nous aider. Cette nuit, tu devras beaucoup t'amuser avec lui pour qu'il soit vite fatigué et dorme profondément.

Sur le chemin du retour, Branche-Brisée parla aux castors, avec lesquels il était allié.

– Rendez-moi un service. Quand la lune montrera sa face pâle, percez les canoës avec vos longues dents. Et tous retournèrent au wigwam.

Putois-d'Été s'assit alors près de son époux et commença à le chatouiller. Dès lors, l'homme n'eut plus d'yeux que pour elle. La jeune femme fut pleine de tendresse pour lui et le caressa longuement avant de le laisser s'endormir. La vieille grand-mère ricana :

– Ma nouvelle belle-fille est réellement débordante de qualités. Elle doit appartenir au clan des joyeuses commères !

Lorsqu'il fit très noir, les deux chasseurs entendirent que l'heureux mari dormait comme une souche. Alors, ils se levèrent, lui coupèrent la tête et s'enfuirent avec Putois-d'Été.

La grand-mère se réveilla en sursaut et s'écria :

– Quelque chose coule ! Mes belles-filles auraient-elles renversé un pot ?

N'obtenant pas de réponse, la vieille ranima le feu et vit ce qui s'était passé. Elle alerta aussitôt les gens du village. Mais quand ceux-ci voulurent prendre les canoës, ils découvrirent que toutes les coques étaient trouées.
Les chasseurs et Putois-d'Été arrivèrent sans encombre sur l'autre rive. Les hommes quittèrent leurs peaux de femme et regagnèrent le wigwam de Chasseur-d'Élan.
Le lendemain de cette triste aventure, Putois-d'Été émit le désir d'aller cueillir des cerises sauvages.
– Vous n'avez nul besoin de m'accompagner, je ne serai pas longtemps partie. Reposez-vous de votre fatigue.
Elle s'éloigna en direction de la forêt. En route, Putois-d'Été rencontra un étranger. L'homme lui parla et elle le suivit.
Quand le soleil fut à la moitié de sa course, Chasseur-d'Élan, ne voyant pas sa squaw revenir, commença à s'inquiéter.
– Où peut-elle être ? Elle va se rendre malade à manger tant de cerises.
Il partit à sa recherche en compagnie de Branche-Brisée. Les deux chasseurs suivirent ses traces. Puis, ils virent que des empreintes d'homme venaient se joindre à celles de Putois-d'Été.
– Que me conseilles-tu de faire, maintenant ? demanda Chasseur-d'Élan à Branche-Brisée.

Celui-ci réfléchit longuement à la question et finit par dire :
– Cette femme est volage. Le mieux pour toi est de l'oublier.
– Mais si je n'ai plus de femme, pour qui chasserai-je dorénavant ?
– Uniquement pour toi. Et ce sera bien suffisant.
Chasseur-d'Élan suivit le conseil de Branche-Brisée et s'aperçut bien vite qu'il n'avait plus besoin d'aller chasser aussi fréquemment.
C'est pour cette raison que, de nos jours, chez les Mohican, les chasseurs célibataires paressent deux fois plus que les hommes mariés.

LA FEMME QUI NE VOULAIT PAS AIDER SON MARI

ILLUSTRÉ PAR CHRISTIAN GUIBBAUD

LÉGENDE DE LA TRIBU DES ATHABASCA

7 MINUTES

POUR SE DÉBARRASSER D'UNE FAINÉANTE

L'aventure se déroula dans le nord d'un pays froid.

La neige était si épaisse que les orignaux s'y enfonçaient jusqu'aux bois. Dans le village des Athabasca un couple vivait en mauvaise harmonie. Il se disputait à la moindre occasion et en arrivait même à se chicaner pour des riens.

Un jour, au début de la Lune-où-les-Hermines-Revêtent-leur-Manteau-Blanc, le climat devint si rude que les grands cervidés désertèrent ces terres stériles et les loups eux-mêmes partirent vers le sud.

La tempête soufflait si fort que l'homme ne parvenait plus à relever les empreintes sur le sol ; il devait se contenter d'aller dénicher des petits rongeurs au fond des terriers. Parfois, lorsqu'il avait erré tout un jour à la recherche du gibier, le chasseur s'estimait satisfait de rapporter à son épouse une maigre belette, un rat musqué minuscule ou un castor squelettique.
Sa femme ronchonnait en voyant d'aussi maigres victuailles et elle reprochait à son époux de ne pas trouver davantage de viande à manger. Et plus il se défendait, plus il prétendait que les animaux avaient fui vers une contrée moins hostile, plus elle criait et l'abreuvait de reproches.
Un beau jour, hors d'elle-même, la femme dit à son époux :
– J'ai épousé un très mauvais chasseur et, lorsque la Belle-Saison arrivera, je me marierai avec un autre homme.
De ce jour, son mauvais caractère empira. Tout lui était bon pour se mettre en colère. Elle réclamait constamment de la viande à manger, au point qu'elle ne pensait plus qu'à cela.

Un soir, à la nuit tombée, l'époux revint à sa cabane avec un tout petit renard des neiges. La femme le fit cuire aussitôt et, quand le repas fut prêt, elle n'offrit à son mari que la queue, les oreilles et les pattes. Comme elle ingurgitait les meilleurs morceaux, l'homme s'étonna et en arriva à lui dire :
– Femme ingrate, voudrais-tu que je meure de faim sous tes yeux ? Est-ce ma faute si le froid sévit dans ce pays ?
– Tu en as bien assez, dit-elle en terminant les cuisses et le râble de l'animal. Comment pourrais-je avoir la force d'allumer du feu si je me privais au point de dépérir ?
Le jour suivant, le chasseur, tout heureux, revint en brandissant un corbeau.
Sa femme le fit cuire sans perdre un instant. Puis elle mangea les parties charnues, but le bouillon gras, et n'abandonna à son mari que les entrailles et les plumes.

Outré, l'homme lui fit remarquer :
– Si tu continues à me donner les plus mauvais morceaux, je risque de tomber malade et de ne plus pouvoir me lever de ma couche pour aller chasser.
Mais la mégère rétorqua avec dédain :
– Si tu veux qu'il y ait à manger pour deux, tue donc un ours au lieu de rapporter ces petits animaux.
L'homme eut beau lui expliquer qu'à cette époque de l'année les plantigrades hibernaient au plus profond de leur grotte et qu'ils ne sortiraient qu'à la Belle-Saison, sa femme rouspéta, passa sa main sur son ventre rond et alla se coucher, repue.
Dépité, le chasseur alla dormir l'estomac creux. Et il en fut ainsi les jours suivants.
En dépit de ses sorties plus nombreuses, l'homme maigrissait et sa femme grossissait.
Épuisé de ces disputes incessantes, le chasseur alla demander conseil à un vieux sapin.
L'ancêtre de la forêt écouta son histoire et conclut :
– Cette femme devient folle ; elle ne se rend plus compte qu'elle met ta vie en danger. À mon avis, il n'y a qu'une solution à ton problème.
– Explique-moi ce que je dois faire, quémanda l'homme. Donne-moi un conseil avant que je perde toutes mes forces.
– Rien n'est plus facile. Charge ton épouse des tâches qui t'incombent et prends les siennes.
L'Athabaska réfléchit un instant et fit remarquer :
– Mon épouse est incapable de chasser et de ramener du gibier. Es-tu certain de ce que tu avances ?
– Absolument. Échange tes tâches avec les siennes, et tu verras alors le résultat.
Le chasseur salua le vieux sage et retourna à sa cabane.
– Tu es parti bien longtemps et tu reviens les mains vides, s'emporta son épouse. N'as-tu repéré aucune trace sur la piste ?

– J'ai vu un aigle, répondit l'homme, il s'est envolé. Et comme je ne saute pas assez haut, je n'ai pas pu l'attraper.
Cela dit, il alla se coucher sans plus prononcer un mot.
L'aube suivante, comme l'homme restait allongé sur sa couche, sa femme le houspilla :
– Debout, fainéant ! Ne penses-tu pas que je vais dépérir si tu passes tout le jour au lit ?
– Je suis fatigué, répliqua l'homme en simulant un bâillement. Va chasser à ma place. Nul doute que tu rapporteras un ours et un élan.
Puis, lui tournant le dos, il se rallongea et fit semblant de ronfler.
Scandalisée, l'épouse se mit à hurler, fit du tapage. Mais rien n'y fit : le chasseur continua à ronfler et ne bougea pas.
Excédée par la conduite de son mari, l'épouse revêtit une chaude fourrure, sortit de la cabane et s'éloigna sur la neige craquante.
Dès que l'homme n'entendit plus ses pas, il se leva, alluma un bon feu et se chauffa les mains à la flamme. Il reprit des forces et partit chasser pour son propre compte. Il posa des collets, disposa des pièges et mangea tous les petits animaux qui venaient s'y prendre. À ce régime, il se refit de la graisse et fut bientôt apte à couvrir de grands espaces.
Toutes les fois que le chasseur revenait à la cabane, il constatait : « Tiens, mon épouse n'est pas là. Comment se fait-il qu'elle ne soit pas encore revenue ? »
Après plusieurs jours, il s'inquiéta et pensa :
« Peut-être s'est-elle perdue dans les bois. Dans ce cas, ne dois-je pas lui venir en aide ? » Il partit à sa recherche, suivit ses traces et arriva devant une cahute.
Il pénétra dans le pauvre logis et resta stupéfait. Son épouse tenait compagnie à un homme ayant l'aspect d'un spectre.

Les os de son visage pointaient sous ses joues creuses et il était d'une pâleur effrayante.
– Pourquoi viens-tu nous déranger ? interrogea le fantôme d'une voix mourante.
– Je cherchais mon épouse et je suis heureux de l'avoir retrouvée.
L'être squelettique tourna les yeux vers l'énorme femme assise à son côté et dit, apparemment satisfait :
– Si cette femelle constamment affamée t'appartient, prends-la. Je n'aurai aucun mal à en épouser une moins gourmande.
– Non, non, s'écria le chasseur. Je te la donne. Avec moi, elle finirait par te ressembler et copier ta maigreur.
Tournant le dos, il sortit et prit la piste le conduisant à son logis.
En route, alors qu'il traversait une épaisse forêt, il rencontra son ami le vieux sapin. Celui-ci lui demanda :
– As-tu suivi mon conseil ?
– Strictement, répondit le chasseur. Mon épouse s'est mariée avec un autre homme, un squelette vivant.
– À ton image, ainsi que tu allais le devenir en continuant à chasser pour elle.
Le chasseur secoua la tête pour montrer son assentiment. Puis il se mit à rire. C'est alors que le soleil réapparut dans le ciel, que la neige fondit, que la terre reverdit et que les animaux nombreux revinrent habiter le pays.

POUR ALLER PLUS LOIN

Chez les Peaux-Rouges, chacun avait sa charge à prendre dans les activités quotidiennes, sous peine de voir la tribu entière mourir de faim. La participation de chacun s'établissait en fonction de ses capacités : les hommes chassaient ; les femmes préparaient le repas, élevaient les enfants et cousaient les habits. Plusieurs légendes enseignent malgré tout les principes de l'entraide.

D'UN MARI À L'AUTRE

ILLUSTRÉ PAR MURIEL KERBA

LÉGENDE DE LA TRIBU DES CHIPPEWAY

5 MINUTES

POUR CHANGER D'APPARENCE

La Lune-des-Oies-Grises revenait, et avec elle les orignaux perdaient leur poil d'hiver et les hermines retrouvaient leur toison brune.

Les Chippeway allaient vers le sud à la poursuite des hardes de bisons. Parmi eux se trouvait Quatre-Vents. Elle marchait péniblement sous le poids d'un lourd fardeau. Or, à un détour de la piste, les liens fermant son baluchon se rompirent et le contenu se répandit sur la terre nue.

Pendant qu'elle ramassait ses affaires, le reste de la petite troupe s'éloigna et disparut bientôt derrière un bois.

Un loup en maraude s'arrêta à côté d'elle et lui dit :

– Au lieu de ramasser ces choses inutiles, tu ferais mieux de me suivre au pays des jeunes épousées.

– Mais je n'ai pas de fiancé, dit Quatre-Vents.
– J'en suis un, répliqua le loup. Suis-moi et je t'épouserai.
Quatre-vents accepta. C'est alors que le loup s'aperçut que la femme était enceinte, et comme il ne voulait pas adopter le petit d'un être humain, il saisit son couteau, ouvrit le ventre de Quatre-Vents et déposa le bébé sur le bord du chemin.
Le soleil suivant, le premier mari de Quatre-Vents revint sur ses pas afin de rechercher son épouse. Mais il ne trouva que son enfant abandonné. Il le prit dans ses bras et l'emmena avec lui dans la tribu des Chippeway.
Au tout début de la Lune-du-Parfum-des-Fleurs, Quatre-vents enfanta d'un jeune louveteau. Puis, une lune plus tard, des crocs pointus apparurent sur les gencives de la femme.
Un jour que son mari était à la chasse, Quatre-Vents prit son bébé loup et partit chez les castors.
Quatre-Vents parvint sur la rive d'un grand lac. Un mâle castor lui saisit le bras et lui déclara :
– Deviens mon épouse, tu partageras ma cabane toute neuve. Personne ne fait cuire mes aliments.
Quatre-Vents accepta et entra dans la hutte de l'animal.
Mais comme le castor n'acceptait pas d'éduquer le fils d'un loup, Quatre-Vents fut obligée de l'abandonner au bord de l'eau.
Quelque temps après, lors de la Lune-des-Mûres-Sauvages, la femme mit au monde un petit castor.
Mais Quatre-Vents s'aperçut bien vite qu'une queue large et plate poussait au bas de son dos. Elle n'y prêta pas attention et continua d'allaiter son jeune enfant.
À l'approche de la Saison-Triste, les castors quittèrent les huttes pour s'enfoncer dans les terres. Esseulée et triste, Quatre-Vents se rendit alors dans la forêt en quête d'une compagnie.
Au fond d'une grotte où elle s'était réfugiée pour la nuit, la femme rencontra un ours.

La trouvant à son goût, l'ours lui proposa :
– Accepte de devenir mon épouse. Tu pourras rester ici bien au chaud sans craindre les frimas.
Quatre-Vents s'installa dans la grotte et y vécut heureuse.
À la fin de la Lune-où-le-Gel-Dépose-des-Perles-sur-les-Arbres, Quatre-vents accoucha d'un ourson.
Hélas, à l'arrivée des grosses neiges, le plantigrade hiberna et Quatre-Vents vit pousser sur son corps des poils épais et bruns.
La femme secoua en vain son mari pour le réveiller. Et comme il ne faisait qu'émettre des ronflements répétés, Quatre-vents se sentit abandonnée. Elle sortit de la caverne et erra au hasard de la piste. Malheureusement, elle avait oublié son bébé ourson auprès de son mari.
À la Lune-des-Grandes-Chasses, la tribu des Chippeway pénétra dans le sous-bois. Ils découvrirent la femme qui allait ici et là, telle une désespérée. Malgré ses dents de loup, sa queue de castor et son pelage d'ourse, son premier époux la reconnut immédiatement. Sans lui adresser de réflexion au sujet de son aspect, il l'emmena sous son wigwam.
Une fois chez les siens, Quatre-Vents retrouva son premier nourrisson humain. Mais au lieu de se réjouir, elle devint triste et se mit à pleurer. Lorsque le sorcier de la tribu l'interrogea sur son étrange comportement, elle partit à se lamenter :
– J'ai perdu mon enfant loup, mon bébé castor et mon ourson. Comment vais-je faire pour retrouver ma petite famille ?
Devinant l'existence que venait de vivre Quatre-Vents, son mari la consola :
– Tu as retrouvé ton foyer, oublie ton passé ; tu es au milieu des hommes maintenant.
À l'écoute de ces paroles, la tristesse de Quatre-Vents s'envola. Elle se fit une robe très ample pour cacher sa peau couverte de poils d'ourse et sa queue de castor. Mais en dépit de ce camouflage, les femmes de la tribu se moquèrent d'elle. Son vêtement ne cachait hélas pas ses dents de loup et le désespoir finit bientôt par la gagner.

Alors qu'un nouveau soleil naissait, Quatre-Vents dit à son mari :
– J'ai décidé de faire cesser les sarcasmes qui m'assaillent.
Bien que son mari tentât d'en savoir plus, elle s'enferma dans un mutisme absolu.
L'époux partit à la chasse, et le soir, quand il revint, il trouva Quatre-Vents inerte sur sa couche. Pensant qu'elle dormait, il lui chatouilla le nez avec un brin d'herbe. Comme elle ne se réveillait pas, il lui mordilla le menton. Comme Quatre-Vents restait toujours sans réaction, son mari prit le parti de la secouer énergiquement… Il s'aperçut alors qu'elle lui avait dérobé son couteau et qu'elle s'était donné la mort.

Chez les Chippeway, depuis cette horrible aventure, dès qu'un homme promet à une femme de l'épouser, celle-ci n'en croit pas un mot et court s'enfermer à l'intérieur de son wigwam.

LE CÉLIBATAIRE ENDURCI

ILLUSTRÉ PAR CHRISTIAN GUIBBAUD

LÉGENDE DE LA TRIBU DES WICHITA

5 MINUTES

POUR TENTER DE FONDER UNE FAMILLE

À l'aurore des temps, à une époque lointaine, la tribu des Wichita abritait un homme étranger. Il s'appelait Corne-Minuscule et n'avait encore connu aucune femme.

Alors que les autres jeunes gens de son âge avaient déjà plusieurs femmes, ce jeune homme ne recherchait pas la compagnie des filles de son âge. Corne-Minuscule vivait parmi ses proches, à l'abri des sarcasmes que lui adressaient ses amis.

Les gens de la tribu considéraient que Corne-Minuscule adoptait un comportement bizarre. Surtout qu'il était réputé pour être un bon chasseur. En dépit des bruits qui couraient sur lui, Corne-Minuscule évitait le regard des filles à marier. Jamais il ne jouait de la Flûte-d'Amour-à-Six-Trous pour une seule d'entre elles. Au contraire, il jetait des pierres et couvrait d'injures celles qui osaient se glisser sur sa couche à son côté. De plus, Corne-Minuscule restait indifférent aux jeux qu'organisaient ses amis. Il n'avait pas d'histoire à raconter et chassait seul.

Un bon nombre de Wichita déclaraient que Corne-Minuscule subissait l'emprise d'un esprit malfaisant. C'est pour cela que le soir, autour du feu, les hommes chantaient pour lui des incantations destinées à éloigner les monstres de la nuit de son esprit.

Toutefois, Corne-Minuscule ne se déridait pas. Pourtant les plus jolies jeunes filles passaient et repassaient devant lui, essayaient de se faire remarquer et de lui plaire. Mais il n'en retenait jamais une seule et les chassait toutes hors de son tipi.

Dans un autre village, peu éloigné, vivait une charmante jeune fille, appelée Duvet-d'Eider. Étrangement, Duvet-d'Eider se comportait pareillement que Corne-Minuscule. Elle semblait timide car toujours elle baissait les yeux lorsqu'elle croisait un jeune garçon.

Les femmes âgées lui répétaient que ce n'était pas un bon moyen pour capter l'attention d'un homme et trouver un époux. Néanmoins, elle ne changeait pas sa manière de faire, et toujours elle affichait sa timidité.

Or, une nuit, Duvet-d'Eider sortit de sa tente, mue par une force mystérieuse. Au même moment, poussé par un sentiment identique, Corne-Minuscule sortit de son tipi sans raison précise.

Le jeune homme et la jeune fille se rencontrèrent dans une clairière.

En l'apercevant, Duvet-d'Eider s'écria :

– Tiens, voici le jeune homme qui peuplait mon rêve…

– Tiens, voici une jolie jeune fille avec qui il me plairait de converser, dit de son côté Corne-Minuscule.

Les jeunes gens firent connaissance et ils s'épousèrent sur-le-champ.

À quelque temps de là, à la Lune-des-Cerfs-qui-Perdent-leurs-Bois, Duvet-d'Eider mit au monde un nouveau-né. Tout heureux d'avoir un fils, Corne-Minuscule chassait et revenait chaque jour, pourvu de viande fraîche pour sa famille. Il préparait les peaux les plus souples et vaquait aux travaux ménagers.

Or, un jour, le chasseur fut fatigué de mener cette vie répétitive. Il prit l'habitude d'aller chasser aux confins du pays. Il lui arrivait même de rester plusieurs nuits sans rentrer chez lui et de laisser sa femme et son enfant sans protection. L'enfant de Duvet-d'Eider grandissait, et plus il grandissait plus il s'ennuyait et demandait où se trouvait son père.

Jusqu'au jour où la jeune épousée pensa : « Je vais retourner dans ma famille. Mon époux a repris ses habitudes de célibataire, il délaisse son fils et vit comme si je n'existais pas. »
Duvet-d'Eider confectionna des mocassins pour son enfant et retourna chez les siens. Quelque temps plus tard, une oie sauvage apprit à Duvet-d'Eider que son mari avait regagné son propre village. Regrettant d'être partie, elle prit son enfant et se rendit dans la tribu de son époux.
Parvenue dans le village, elle déposa son enfant près de son père et s'en alla. L'enfant pleura si fort que Corne-Minuscule dut appeler ses parents. Il dit à sa mère :
– Donne le sein à cet enfant, tu vois bien qu'il a faim.
– Je n'ai plus de lait, répondit la vieille femme. Va rejoindre ton épouse, elle le nourrira.
Corne-Minuscule partit sur-le-champ. Il mit son enfant sur son épaule pour traverser un marais, le fit courir à son côté pour parcourir une plaine et le prit sous son bras pour franchir les ronciers d'un bois. Enfin, il aperçut son épouse au bord d'un lac.
Quand il fut à sa portée, il lui cria :
– Viens allaiter notre garçon, Duvet-d'Eider ! Vois comme il a faim !
Mais la femme ne répondit pas. Elle quitta ses vêtements en peau, enfila un habit de plumes, se changea en aigle et s'envola.
L'oiseau décrivit des arabesques gracieuses au-dessus de la tête du père et de l'enfant.
Corne-Minuscule cria une fois encore :
– Hé ! l'aigle ! ne t'éloigne pas ! Ne vois-tu pas que cet enfant meurt de faim ?
À cet appel, l'oiseau plana vers la terre. Il arracha une plume de son cou avec son bec et la posa sur le front du nourrisson. Ce dernier se transforma instantanément en aiglon. Il battit des ailes et rejoignit sa mère dans le ciel. Tous deux disparurent alors derrière les nuages. Corne-Minuscule s'appuya contre un rocher pour mieux réfléchir à cette curieuse métamorphose.

Enfin, au désespoir, il quitta à son tour ses vêtements d'homme, se jeta à l'eau et devint une loutre.
Dès lors, des mauvaises langues prétendirent que Corne-Minuscule vivait au fond de l'eau en compagnie d'une vieille carpe et qu'il s'ennuyait de son ancienne et jolie épouse.
Toujours est-il que, depuis cet événement, les chasseurs chippeway rejoignent leur tribu et leur tipi le soir dès que la nuit tombe…

DES SOURIS
ET DES HOMMES

FILLE-BISON ET SON AMI LE CORBEAU

ILLUSTRÉ PAR CHRISTIAN GUIBBAUD

LÉGENDE DE LA TRIBU DES CROW

11 MINUTES

POUR ÉVITER LA FAMINE

En ces temps très anciens, la saison froide venait plus tôt qu'aujourd'hui. Bien que l'herbe fût encore verte, les éclaireurs signalèrent que les bisons fuyaient vers le sud. La tribu s'apprêta à lever le camp afin de suivre les troupeaux pour ne pas mourir de faim.

Une femme confectionna un travois [1]. Elle fixa au collier d'un chien l'assemblage de perches et posa dessus son bébé. Le chien aperçut un lapin et courut tout à coup après lui. La femme eut beau l'appeler, le chien ne l'entendit pas. Il parcourut toute la plaine à la suite du lapin et disparut

1. Travois : les Indiens ne connaissaient pas la roue. Pour leurs transports, ils disposaient un assemblage de perches sur l'encolure d'un chien, puis des chevaux après l'arrivée des Blancs. L'autre extrémité de ce bâti traînait à terre.

derrière les collines. Il ne revint que le soir, mais le traîneau était vide. Les pisteurs cherchèrent en vain l'enfant, et la tribu dut partir sans lui.
Au-delà des monts, un grand bison paissait en compagnie de ses femelles. Il entendit les plaintes du bébé. Les femelles le recueillirent et s'aperçurent qu'il s'agissait d'une petite fille. Elles la nommèrent Ta-Tan-Ka-Win-Ja, c'est-à-dire Fille-Bison.
L'enfant grandit parmi les ruminants. Quand elle fut devenue une jeune fille, une femelle lui demanda qui elle était.
– Je suis un bison, répondit-elle.
– Non, dit la femelle. Tu n'es pas faite comme nous. As-tu des cornes sur la tête et des sabots aux pieds ? Et puis, nous mangeons de l'herbe et tu te nourris de baies.
Fille-Bison médita à la lumière de cette révélation et dit à la femelle :
– Si je ne suis pas un bison, je suis donc quelque chose d'autre. Pourquoi dans ce cas n'irais-je pas rejoindre les miens ?
Le grand mâle lui expliqua :
– À n'en pas douter, tu es une fille d'hommes. Ces gens campent derrière ces collines. Va les trouver et essaie de faire ta vie avec eux. Toutefois, si un jour tu as besoin d'aide, appelle-nous. Nous te considérons comme une des nôtres et jamais nous ne t'abandonnerons.
La jeune fille quitta ceux qui jusqu'ici avaient constitué toute sa famille. Avant d'arriver chez les hommes, elle aperçut des enfants. Elle voulut leur parler mais ils s'enfuirent en criant :
– Qui es-tu pour te promener nue ? Tu es bien trop sale pour être des nôtres. Laisse-nous, tu nous fais peur !
Fille-Bison n'osa pas se présenter au village et se mit à errer tristement. Une vieille femme la rencontra.
– Viens avec moi, lui dit-elle. Je possède quelques vieux habits, je te les donnerai ; en échange tu iras chercher mon bois. Veux-tu que je sois ta grand-mère ?
Fille-Bison accepta, car elle pensa que cette vieille femme devait avoir besoin d'une petite-fille.

La grand-mère vivait à l'écart de sa tribu dans un tipi troué. Fille-Bison partagea sa misérable vie sans entrer en contact avec les habitants du village.

Dans cette tribu, le chef avait un fils nommé Roc-du-Milieu. Ce jeune homme avait jusqu'ici refusé de se marier. Un jour, il partit à la chasse et rencontra Fille-Bison. Il lui demanda :

– Je ne t'ai jamais vue par ici. Qui es-tu donc ?

– J'ai été élevée dans la plaine par des amis. Aujourd'hui, je vis avec ma vieille grand-mère en retrait du village, répondit Fille-Bison.

– Serait-ce que tu n'as plus ni père ni mère ?

– Je ne les ai jamais connus, dit tristement la jeune fille.

Ils se séparèrent. Le soir même, Roc-du-Milieu annonça à ses parents :

– Je viens de faire la connaissance d'une jolie jeune fille. C'est elle que je veux pour épouse.

Le lendemain, il réunit de somptueux présents et alla les offrir à Fille-Bison.

– Puis-je espérer que tu accepteras ces cadeaux ?

La jeune fille contempla les précieuses peaux de bison, la viande fumée et le gros sac de pemmican. Puis elle jeta une branche sur le feu et s'assit à côté du jeune homme.

– Il me semble que voici une demande en mariage et une acceptation, remarqua la vieille.

Roc-du-Milieu resta sous le tipi toute la journée. Le soir, après son départ, la grand-mère dit à sa petite-fille :

– Comment pourrons-nous faire à notre tour des présents aux parents de ce jeune homme ? Nous sommes pauvres et ne possédons rien.

Fille-Bison répondit :
– Je vais aller chercher une bouse de bison dans la plaine, elle fera bien l'affaire !
Elle y alla durant la nuit et, pendant que sa grand-mère dormait, elle murmura à l'intention de la bouse :
– Aidez-moi, mes amis bisons. Demain, nous devons rendre visite à la famille de mon futur époux. Faites que je ne me présente pas devant eux les mains vides et aussi pauvrement vêtue.
Alors la bouse se changea en beaux habits, en ceintures brodées, en mocassins ornés de piquants de porc-épic et en cadeaux de toutes sortes.

À l'aube, la jeune fille dit à sa grand-mère :
– Voici ce que de bons amis nous ont apporté pendant notre sommeil. Changeons nos guenilles contre ces magnifiques vêtements, je tiens à ce que nous honorions mes beaux-parents.
Ainsi parées et les bras chargés de présents, les deux femmes se rendirent à la tente du chef.
Tous les membres de la famille de Roc-du-Milieu reçurent un cadeau.
Le père du jeune homme déclara :
– Je suis heureux de faire la connaissance de ma future bru et de sa grand-mère. À notre tour, nous irons demain vous rendre visite.

Le soir, la jeune fille alla chercher une autre bouse de bison.
De retour sous son tipi, elle lui confia :
– Nous devons recevoir le chef et ses parents. Or, nous ne possédons que cette vieille tente trouée. Amis bisons, aidez-moi.
À l'aube, Fille-Bison dit à sa grand-mère :
– Regarde donc dehors afin de vérifier si notre nouveau tipi est prêt.
La vieille sortit et vit une grande tente faite dans des peaux de bisons fraîchement tannées. La grand-mère ne s'étonna pas. Elle commençait à soupçonner sa petite-fille de posséder un pouvoir mystérieux.
Quand les parents de Roc-du-Milieu arrivèrent, ils furent étonnés devant la splendide demeure des deux femmes. Roc-du-Milieu demanda à Fille-Bison :
– Je te croyais pauvre, d'où tiens-tu cette récente richesse ?
– J'ai de bons amis qui me viennent en aide, dit évasivement la jeune fille.
Roc-du-Milieu se contenta de cette réponse et il épousa Fille-Bison le jour même. Les femmes du village enviaient le nouveau couple. L'une d'elles passa ses journées à tourner autour du beau tipi en criant des injures à Fille-Bison. Son mari tenta de la chasser en lui lançant des pierres, mais elle continua ses tracasseries les jours suivants.
Le chef dit à son fils :
– Cette femme est certainement très amoureuse de toi. Ne devrais-tu pas en faire ta deuxième femme ?
– Non, répliqua le jeune homme. Elle est si jalouse que je craindrais qu'elle attente aux jours de Fille-Bison.
Celle-ci intervint :
– Il faut que tu saches que je n'ai jamais vécu sous un tipi durant ma jeunesse. Je ne sais guère m'occuper du ménage. Une seconde femme pourrait m'apprendre à te confectionner de meilleurs repas.
Fille-Bison alla voir la femme et lui dit :
– Tu peux venir vivre avec nous, je ne serai pas jalouse de toi. Toutefois, ne crée pas de discorde entre Roc-du-Milieu et moi, sinon tu t'en repentiras.

Le fils du chef prit donc cette autre épouse et la vie continua comme avant.
Au début de la Saison-Changeante, les bisons ne réapparurent pas. Les chasseurs ne sortirent plus de leur tente et la famine s'installa au camp. Fille-Bison dit à son époux :
– Accorde-moi ta confiance, je suis en mesure d'arranger nos ennuis. Capture un corbeau afin que je puisse l'apprivoiser.
Lorsque Roc-du-Milieu amena l'oiseau, Fille-Bison s'enferma avec le volatile et lui dit :
– Sois mon messager. Vole vers mes amis les bisons qui paissent dans le sud du pays. Apprends-leur que nous avons faim et que je leur demande de venir jusqu'à nous.
Chargé de la mission, le corbeau partit sans perdre un instant. Il revint quelques jours plus tard. Les guetteurs signalèrent alors qu'un troupeau de bisons avançait vers le village. Fille-Bison dit aux chasseurs de la tribu :
– Ne tuez aucun de ces animaux. Construisez un grand enclos, je me charge du reste.
Avant le soir, la clôture fut achevée. Fille-Bison se posta sur la colline et chanta un refrain que personne ne connaissait.
Le matin suivant, les bisons entrèrent dans l'enclos et la jeune femme dit aux Braves qu'ils pouvaient maintenant refermer la barrière derrière eux. Fille-Bison s'adressa une nouvelle fois aux chasseurs :
– Ne les tuez surtout pas. Faites-moi uniquement savoir le nombre de bêtes dont vous avez besoin pour vivre deux saisons.
Mais la seconde femme de Roc-du-Milieu s'écria :
– N'écoutez pas cette folle. Profitons au contraire de ces nombreux bisons pour constituer de grandes réserves.
– Si nous en prenons trop, la viande pourrira ! répliqua Fille-Bison. Évitons le gaspillage.
Les chasseurs interrogèrent Roc-du-Milieu afin de connaître sa décision.
– Ma deuxième femme a semé le trouble dans mon esprit, déclara-t-il. Je ne sais quelle solution adopter.

– Je t'avais bien recommandé de ne pas semer la discorde entre notre mari et moi, dit Fille-Bison à la seconde femme. Tu ne m'as pas écouté et tu vas en subir les conséquences.
Elle fit un geste imperceptible vers l'oiseau. Celui-ci s'éleva dans les airs et piqua droit vers la méchante épouse. Le corbeau lui perfora le front de son bec acéré et dévora toute sa cervelle.
La deuxième femme de Roc-du-Milieu n'en mourut pas mais elle resta diminuée mentalement.
Le fils du chef décida alors que dix gros bisons suffiraient pour passer l'hiver. À ces mots, dix des bisons de l'enclos se couchèrent sur le flanc et passèrent de vie à trépas.
Fille-Bison dit aux chasseurs :
– Libérez les autres, ce sont mes amis. Ces bisons sont venus librement à vous, rendez-leur la liberté.
Lorsque l'excédent des animaux repartit vers les plaines du Sud, le corbeau vint se percher sur l'épaule de Fille-Bison et clama aux hommes du village :
– Vous avez accepté de ne pas prendre plus qu'il vous faut, les bisons auront maintenant confiance en vous. Chaque année je reviendrai avec un pareil troupeau et vous ne connaîtrez jamais plus la faim.
– Croyez-en ce corbeau, ajouta Fille-Bison. Il ne vous décevra pas. Dès lors, il est le protecteur de ce village.
Après cet événement, la tribu prit le nom du volatile. Ses membres devinrent les Corbeaux, les hommes n'eurent plus qu'une femme à la fois. De plus, ils n'ornèrent plus leur coiffe qu'avec les plumes de cet oiseau.

L'HOMME QUI CHOISIT MAL SA FEMME

LÉGENDE DE LA TRIBU DES KUTENAI

8 MINUTES

POUR DEVENIR SQUELETTE

Homme-Sans-Rien vivait heureux. Il ne s'était encore embarrassé d'aucune femme. Personne ne le forçait le matin à aller chasser et, le soir, il pouvait rester à discourir avec les autres hommes autant qu'il le voulait.

Pourtant, un jour qu'il posait des pièges près d'un éboulis de rochers, il rencontra une jeune fille. Il lui demanda son nom. Elle répondit qu'elle s'appelait Fille-Mystère.

Bien que cette femme ne possédât ni bras ni jambes, Homme-Sans-Rien fut captivé par sa démarche ondulante, sa peau brillante et ses yeux en amande. Il emmena la fille dans sa tribu et l'épousa.

Fille-Mystère eut un enfant. Devant ce nouveau-né chacun s'interrogea ; le sorcier lui-même ne put dire s'il s'agissait d'une fille ou d'un garçon.

À quelque temps de là, Homme-Sans-Rien commença à se poser des questions au sujet de son épouse. Entre autres, il se demandait pourquoi elle sifflait en parlant au lieu de s'exprimer normalement. Et puis, elle s'alimentait de si étrange façon qu'il la soupçonna d'appartenir à une autre espèce que lui.

Un soir, pour s'en assurer, il fit semblant de jouer avec elle et la chatouilla. Fille-Mystère rit à gorge déployée et Homme-Sans-Rien vit que sa langue était longue et fourchue. Il pensa : « Aurais-je épousé un serpent ? »

Très affligé par cette éventualité, Homme-Sans-Rien annonça à son frère aîné :

– Grand-Ours, je dois quitter cette femme étrange et ce drôle d'enfant. Il n'est guère convenable pour un Indien Kutenai de vivre en compagnie de tels êtres.

Grand-Ours répondit :

– Tu as raison, mon jeune frère. Les choses changeront sans doute en ton absence. D'ici là, sache que, si tu as besoin de moi, tu me trouveras au sommet de la haute montagne.

Homme-Sans-Rien partit donc chasser loin de sa tribu. De peur que sa femme ne le suive et le rejoigne, il effaça ses traces en traînant un orme derrière lui.

Parvenu dans une large vallée, il tua une chèvre sauvage. Comme il avait grand-faim, il décida de manger sa viande crue. Il en découpa un morceau et le mâcha. Mais cette chair n'avait aucun goût. Homme-Sans-Rien eut beau choisir d'autres parties de l'animal, il obtint le même résultat. La viande était fade et ne ressemblait en rien à celle qu'il avait absorbée jusqu'ici. Il continua à tailler en divers endroits, jusqu'au moment où la viande lui parut savoureuse. Homme-Sans-Rien continua de manger en se disant : « J'ai eu raison d'insister. Ce quartier est un vrai régal. » Mais lorsqu'il rejeta la dépouille de la chèvre sauvage, il vit qu'il s'était dévoré la cuisse.

Homme-Sans-Rien s'essuya la bouche et se plongea dans une profonde méditation.

Il songea : « C'est quand même bizarre, j'ai mangé ma propre chair sans m'en rendre compte. Cette femme anormale que j'ai épousée m'aurait-elle jeté un sort ? »
Effrayé par cette perspective épouvantable, Homme-Sans-Rien décida de fuir à l'autre bout du monde. Toutefois, comme il avait encore faim, il se dit : « Je peux bien manger ma seconde cuisse puisque j'ai déjà avalé la première. » Ce qu'il fit.
Mais Homme-Sans-Rien n'arrivait pas à rassasier son insatiable appétit. Il mangea son mollet gauche, puis son mollet droit. Ensuite, pris d'une frénésie dévorante, il découpa ses flancs, ses côtes, la chair de ses bras et avala tout. Homme-Sans-Rien engloutit toute la nuit sans pouvoir satisfaire sa faim. Au matin, il s'aperçut qu'il s'était dévoré lui-même et qu'il n'était plus qu'un squelette.
À l'intérieur de ses os parfaitement raclés, il ne restait plus que son foie, son cœur et ses intestins. Homme-Sans-Rien pensa : « Si je ne veux pas mourir, je ne dois en aucun cas consommer ces dernières parties. » Il resta donc sur sa faim et entreprit d'escalader une haute montagne.
Au cours de son ascension, Homme-Sans-Rien s'aperçut bien vite que ses os s'entrechoquaient à chacun de ses mouvements.
Il fit une pause et songea : « Mon squelette fait maintenant du bruit quand je marche, je dois me trouver un nom en rapport avec mon nouvel état. »
Il choisit de s'appeler Celui-dont-les-Os-Grincent et recommença à gravir le versant de la montagne. Parvenu au sommet, Celui-dont-les-Os-Grincent aperçut un homme assis devant un feu. En s'approchant, il reconnut son frère aîné. Il pensa : « J'aime bien Grand-Ours. Il va constituer un fameux repas. »
Grand-Ours se leva et s'écria :
– Mais ne dirait-on pas que voici Homme-Sans-Rien ! Pourquoi a-t-il cette forme insolite ?
Son cadet lui répondit :

– Je ne suis plus Homme-Sans-Rien. Il m'est arrivé un terrible malheur. Je ne suis plus réellement un être humain et j'ai été obligé de changer de nom. Je m'appelle maintenant Celui-dont-les-Os-Grincent.
Grand-Ours se dit en lui-même : « Il a dû en effet se passer quelque chose de grave. Mon pauvre frère n'est plus qu'un squelette. »
C'est alors que Celui-dont-les-Os-Grincent sauta sur son frère et l'assomma. Puis il le fit cuire sur le feu que l'infortuné Grand-Ours avait allumé et le mangea. Le festin dura toute une lune car Grand-Ours était un homme fort corpulent.
Mais un renard avait vu la scène. Il répandit l'horrible nouvelle chez les habitants de la montagne. Celui-dont-les-Os-Grincent devint la terreur de toute la contrée. Lorsqu'il rencontrait un homme il le tuait et le dévorait. Si bien que personne n'osa plus se hasarder hors de chez lui.
Ne trouvant plus de nourriture, Celui-dont-les-Os-Grincent en fut réduit à retourner dans sa tribu. Heureusement, un guetteur le vit arriver de loin et put donner l'alarme.
– Celui-dont-les-Os-Grincent revient au village ! Il est effrayant à voir ! Fuyez tous si vous ne voulez pas finir dans son estomac !
La tribu plia rapidement bagage. Mais la femme de Celui-dont-les-Os-Grincent refusa de partir. Elle déclara :
– Je suis Fille-Mystère et cet homme est mon mari. Une femme ne doit pas avoir peur de son époux. Je resterai ici avec mon petit.
Et elle attendit Celui-dont-les-Os-Grincent dans sa cabane en berçant son enfant.
Quand elle entendit un bruit d'os entrechoqués, elle se dit : « C'est lui. Je vais enfin revoir mon cher mari. »
Fille-Mystère tourna les yeux vers l'entrée de la hutte et vit qu'un squelette la regardait. Elle songea : « Comme mon pauvre mari est maigre. Il doit être épuisé, je vais lui confectionner un bon ragoût pour le remonter. »
Puis elle dit à haute voix :
– Entre chez toi, mon époux. Tu es trop resté dans les montagnes, il n'est pas bon pour un homme d'être séparé de sa femme aussi longtemps.

Celui-dont-les-Os-Grincent s'assit près du foyer et pensa : « Elle siffle toujours autant en parlant. Cette sorcière m'a jeté un sort et je vais la tuer… »
Puis il découvrit le bébé qui dormait dans son berceau. Il songea alors : « J'aime bien mon enfant. Je vais le dévorer en premier, ensuite je m'occuperai de la mère. »
Celui-dont-les-Os-Grincent saisit le petit et entreprit de le faire sauter entre ses bras. Tout à la joie du festin qui l'attendait, il dit à sa femme :
– Fais cuire cet enfant, j'ai l'intention de le manger. Ensuite, ce sera ton tour.
Fille-Mystère prit le bébé, le cacha derrière son dos et s'écria :
– A-t-on idée de vouloir manger son fils ! Jamais je ne te laisserai faire une chose pareille.
Celui-dont-les-Os-Grincent attrapa Fille-Mystère par le cou et voulut l'étrangler. Mais la femme ouvrit la bouche, un gros serpent à sonnette en sortit. Le reptile s'enroula autour de Celui-dont-les-Os-Grincent et le mordit au cœur. Instantanément, le squelette se démantibula et les os de l'homme épouvantable tombèrent sur le sol. Fille-Mystère les mit dans un sac et alla les jeter dans la rivière.
Puis, elle prit son enfant et retourna vivre chez les serpents.
Voilà pourquoi il est mauvais pour un homme d'épouser un être d'une autre espèce que la sienne.

L'HISTOIRE DE LA GROTTE DES SERPENTS

ILLUSTRÉ PAR FABRICE TURRIER

LÉGENDE DE LA TRIBU DES KIOWA

6 MINUTES

POUR LUTTER CONTRE LES SERPENTS

Deux jeunes sœurs ramassaient du bois pour le feu du soir. Dans la forêt, elles rencontrèrent un porc-épic. L'animal avait de si beaux piquants que l'aînée les voulut pour broder sa robe de cérémonie. Toutes deux coururent donc après le porc-épic pour le capturer.

Celui-ci monta à un arbre. L'aînée le suivit, mais plus elle grimpait, plus l'arbre poussait. La cadette retourna au village chercher une hache pour abattre ce curieux arbre.

Durant ce temps, l'aînée escaladait encore… et l'arbre croissait toujours…

Soudain, la jeune fille se retrouva dans un autre monde. Aucun Indien ne connaît cette contrée puisqu'elle s'étend au-delà des nuages.

Là, le porc-épic se transforma en homme, il épousa la belle Indienne et lui fit un enfant.
Un jour, elle découvrit une grotte au fond de laquelle il y avait un grand trou. Elle se pencha au-dessus de cette ouverture et aperçut la terre. L'Indienne eut le mal du pays… une idée germa dans son esprit…
Dès lors, elle demanda chaque soir à son mari de lui apporter les tendons des bisons qu'il tuait.
Un matin, elle tressa une longue corde, noua une extrémité à un rocher et laissa pendre l'autre dans le trou. Après avoir placé son enfant sur ses épaules, elle se laissa glisser…
Mais le bout de la corde n'atteignit que la cime des grands arbres. La jeune femme fit une boucle avec la corde, passa sa cheville dedans et se laissa pendre.
Et l'enfant pleura, pleura…
Son père l'entendit. Il courut à la grotte et vit sa femme et son enfant suspendus dans le vide.
Furieux, il roula un gros rocher et le fit basculer dans le trou. Sa femme le reçut sur la tête et mourut sur le coup. La corde cassa et précipita mère et enfant sur la terre. Heureusement, les branches d'un séquoia amortirent la chute du jeune garçon, qui ne se fit aucun mal.
Une vieille femme trouva l'enfant et l'emporta sous son wigwam. Le garçon grandit et devint rapidement un jeune Brave.
À chaque repas, il remarquait que la vieille remplissait une écuelle supplémentaire, passait derrière un rideau de branchages et revenait avec son assiette vide.
Un jour qu'il était seul, il voulut en savoir davantage. Il passa sa tête à travers les branches et se trouva face à un gros serpent.

Il s'écria :
– Ainsi, c'est toi qui manges les provisions de ma grand-mère adoptive !
Comme le reptile le fixait d'un air mauvais, il saisit un gourdin et le tua. Puis il alla le jeter dans l'étang…
Quand la vieille femme revint au wigwam, le jeune Brave lui conta son aventure.
Elle lui répondit :
– C'est très bien ! Je suis contente que tu aies supprimé ce serpent que je ne pouvais plus entretenir.
En vérité, elle était courroucée, car le reptile était son mari qu'un mauvais génie avait changé en serpent. Pressentant que le jeune homme possédait un pouvoir surnaturel, elle décida de s'en débarrasser.
Elle lui dit :
– Surtout ne va pas te promener sur cette montagne. Il s'y passe des choses mystérieuses. C'est un endroit dangereux !
Naturellement, le Brave s'y rendit aussitôt et découvrit une grotte pleine de serpents. À sa vue, les reptiles se montrèrent hostiles.
– Eh bien ! s'écria-t-il. Vous n'appréciez guère les étrangers ! Ma visite vous déplairait-elle ?
– Au contraire ! siffla le chef des reptiles. Nous allons même t'offrir à manger.
Une femelle lui apporta une rate crue.
– Je la préfère rôtie ! déclara le Brave.
Dès qu'il l'approcha des flammes, la rate explosa en mille morceaux car elle était faite du venin des serpents.
Le jeune homme s'assit sur une pierre et dit :
– Je ne suis pas aussi méchant que vous. Je vais vous le prouver en vous contant une belle histoire.
En réalité, il s'agissait d'une histoire magique. Aux premiers mots, les serpents s'endormirent…
Alors, le Brave tira son couteau de sa ceinture et coupa la tête de tous les reptiles. Pourtant, l'un d'eux en réchappa.

Il courut prévenir ses frères des montagnes environnantes, afin qu'ils se méfient de ce Peau-Rouge qui possédait une si grande médecine.
La nuit suivante, pendant que le Brave dormait, un serpent plus courageux que les autres réussit à entrer dans sa bouche. Il s'insinua jusque dans son crâne, mangea sa cervelle et se logea dans la cavité pour faire sa sieste.
Au matin, le jeune homme ne se réveilla pas. Son corps se dessécha jusqu'à devenir un squelette. Et il resta sur la montagne, exposé au vent et à la pluie !
Mais son père avait tout vu par le trou de la grotte. Il descendit sur la terre grâce à la corde tressée par sa femme et accourut auprès de son fils.
Tout d'abord, il posa le crâne à l'envers sur le sol de façon que le trou de la moelle épinière fût placé vers le ciel. Et il attendit... La pluie tomba et remplit le crâne. Alors le père rapprocha le soleil de la terre et l'eau se mit à bouillir. Le serpent, jugeant la chaleur intenable, sortit de la tête du jeune Brave.
Aussitôt, celui-ci, ressuscité, sauta sur ses pieds. Il saisit le reptile, le cogna contre un rocher. Puis il lui dit :
– Maintenant, tu vas promettre de laisser les êtres humains en paix.
Le serpent déclara :
– Je mordrai encore quelquefois, mais pas souvent.
– C'est bien ! fit le Brave. Pourtant, je vais attacher cette clochette à ta queue. Ainsi les hommes reconnaîtront-ils tes descendants et pourront-ils mieux se méfier d'eux.
Voilà pourquoi les serpents à sonnette ne mordent que rarement les êtres humains.

POUR ALLER PLUS LOIN

À de très rares exceptions, les serpents préfigurent les Esprits du mal dans les légendes peaux-rouges. Avec ces reptiles, les démêlés ne manquent pas. Ils vont jusqu'à se nicher dans les individus mêmes afin de les priver de leur conscience.

LES DEUX JEUNES FILLES SEULES

ILLUSTRÉ PAR FABRICE TURRIER

LÉGENDE DE LA TRIBU DES NILAKYAPAMUK

6 MINUTES

POUR ÉPOUSER UN OURS

Deux sœurs vivaient dans une petite clairière dans les profondeurs d'une immense forêt. Depuis leur naissance, ces jeunes filles n'avaient jamais vu d'autre être humain que leur vieille grand-mère. D'ailleurs, cette grand-mère, qui les avait élevées, était morte depuis bientôt quinze neiges. Et grande était la solitude des filles.

Un jour, elles décidèrent de se marier. Elles partirent donc dans la forêt. Mais si elles virent de nombreux animaux, elles ne rencontrèrent aucun homme. Dépitées, elles continuèrent néanmoins leur chemin.

Un soir, les deux sœurs arrivèrent en vue d'une cabane. Elles y coururent et entrèrent. Hélas, elles ne trouvèrent à l'intérieur qu'une vieille femme et un nourrisson dans un berceau.

Les sœurs reconnurent le sexe du bébé et se firent un clin d'œil.
– Dis-nous, la vieille, dit l'une des filles. C'est un beau garçon que tu as là. Toutefois, il semble que tu l'entretiennes mal. Ce petit grouille de puces, permets-nous de le nettoyer.
– Faites donc, répondit la vieille, je n'ai plus d'assez bons yeux pour épucer cet enfant.
Les sœurs prirent le bébé et le lavèrent. Mais au moment de le replacer dans son berceau, elles mirent une bûche à sa place. Puis elles s'enfuirent avec le petit et retournèrent chez elles. Leur secrète idée était d'élever le nourrisson et de l'épouser.
Mais la plus âgée des sœurs le considéra et remarqua :
– Il est bien petit, il nous faudra attendre longtemps.
La plus jeune ajouta :
– Allons le rendre à la vieille femme. Nous lui dirons que nous avons commis une erreur en emportant le bébé à la place de la bûche.
Ainsi firent-elles. La vieille femme les traita d'étourdies et les deux filles reprirent le chemin de leur cabane.
En route, elles rencontrèrent un ours gris. Effrayées, elles s'enfuirent, poursuivies par le plantigrade. Parvenues devant leur hutte, elles fermèrent la porte et se barricadèrent.
– Crois-tu qu'il nous ait suivies ?

– Je ne sais pas. As-tu vu comme il était affreux ?
Quelqu'un frappa à la porte.
Une voix dit :
– Ouvrez ! Je suis un pauvre voyageur exténué.
– Es-tu un ours ? cria l'aînée à travers l'huis.
– Non. Je suis un homme.
La cadette ouvrit. Un homme grand et fort entra.
– Veux-tu manger ? demanda une des sœurs. Seulement, je dois te prévenir, nous n'avons que des baies. Aucun mari ne chasse pour nous.
L'homme fouilla dans son sac.
– Tenez, prenez ce quartier de viande et faites-le cuire. Nous le dégusterons ensemble.
Les filles s'emparèrent du bon morceau de viande juteuse, le firent griller et le mangèrent en compagnie de l'étranger.

Puis, ce dernier dit :
– Venez plus près de moi. Pourquoi êtes-vous aussi craintives ?
– Nous avons rencontré un ours gris, dit l'aînée, et nous avons eu grand-peur.
– Ne savez-vous donc pas qu'un ours gris n'attaque jamais une femme, dit l'homme. Allons, détendez-vous et laissez-moi venir entre vous deux.

L'homme avait une démarche bizarre, il posait ses pieds lourdement sur le sol et marchait en se balançant.

L'étranger prit chacune des sœurs aux épaules et joua un peu avec elles. Ses mains, larges et fortes, laissaient des meurtrissures sur la peau des deux jeunes filles. Mais, en dehors de cela, l'homme était affable et les sœurs appréciaient sa présence.

Au matin, quand le jour parut, les deux sœurs s'aperçurent qu'elles étaient couchées auprès d'un ours. Elles voulurent se sauver, mais il les retint :

– N'ayez pas peur de ma véritable apparence. Je ne suis pas méchant, je vous propose de devenir mes femmes. Toutefois, pour cela, il vous faudra venir vivre dans ma caverne.

Les jeunes femmes le suivirent.

Quelque temps plus tard, avant que la neige fonde et qu'apparaisse l'herbe verte, les deux sœurs rencontrèrent un chasseur dans la forêt.

– J'ignorais qu'il y eût des êtres humains dans cette contrée, leur dit-il. Où habitez-vous donc ?

– Plus loin, au pied de cette colline.

– Êtes-vous mariées ?

– Nous avons un époux.

Le chasseur remarqua les marques de griffes sur les bras des deux femmes et s'éloigna. Revenues dans la caverne, les sœurs parlèrent de leur rencontre à l'ours gris. À partir de cet instant, l'animal se comporta d'étrange façon. Il devint triste et chanta l'Air-des-Séparations.

Le lendemain matin, il peignit des cercles blancs autour de ses yeux en signe de mort et ne parla plus.

Alors, une voix dit à l'extérieur de la caverne :

– Viens te mesurer avec moi, ours gris ! Les gens de mon village ont faim et j'ai besoin de ta viande. De plus, il ne convient pas qu'un ours vive avec deux Indiennes.

L'ours gris se dressa donc sur ses grosses pattes arrière et sortit de la grotte. Le chasseur sauta de côté et lui enfonça son couteau dans le cœur.

Les deux jeunes sœurs eurent l'impression que l'ours s'était laissé tuer volontairement.
Devant la dépouille, le chasseur dit :
– Je te prie de me pardonner, ours. Les miens te témoignent une grande affection et t'offrent un beau cadeau par ma main.
L'homme saupoudra les dents de l'animal de tabac et posa une feuille de sauge sur son large crâne. Puis il l'emporta. Les sœurs le suivirent.
Une fois au village, le chasseur déposa l'ours devant le tipi du sorcier. Les gens formèrent le cercle en signe de vénération. Alors, le chasseur déclara :
– Hier, nous avions faim. Aujourd'hui, je vous apporte le vieil homme de la forêt, l'ours gris ! Néanmoins, je vais vous demander de manger en silence, car c'est un jour de deuil pour ces deux femmes.
Quand les Nilakyapamuk dépecèrent l'ours, ils découvrirent qu'à l'intérieur de sa fourrure il avait un corps d'homme. Chacun des Indiens reçut une partie de sa chair. Le chasseur garda le cœur pour lui mais il en jeta un morceau dans le foyer en offrande.
Puis, les os de l'animal furent placés sur un échafaud funéraire [1] comme on le fait pour un homme. Le crâne fut orné de plumes de dindon, et les griffes de duvet d'oie.
Les deux sœurs se noircirent le visage et recouvrirent leurs cheveux de cendres.
Le chasseur leur dit :
– Si vous le désirez, vous vivrez désormais avec moi dans ce village.
Les jeunes femmes répondirent :
– Ce sera avec plaisir, car nous sommes heureuses d'avoir rencontré des gens semblables à nous.
Les crécelles du temps tintèrent sur le village, et les deux sœurs eurent chacune un beau garçon.

1. Échafaud funéraire : certaines tribus indiennes n'enterrent pas leurs morts, mais les déposent sur de hauts bâtis de bois où les corps se dessèchent.

LE BON GÉNIE QUI RÉCUPÉRA LE SOLEIL

ILLUSTRÉ PAR MURIEL KERBA

LÉGENDE DE LA TRIBU DES KREE

7 MINUTES

POUR CRÉER LES SAISONS

La Saison-Froide sévissait depuis très longtemps. Une neige épaisse couvrait la terre et le vent était si vif que les orignaux, les cerfs et les bisons avaient perdu leurs cornes. Ni les grues ni les oies n'avaient fait leur apparition.

On n'entendait gazouiller aucun oiseau. Lacs, rivières et fleuves étaient gelés et la glace recouvrait les grands arbres dépouillés de leurs feuilles.

Bourgeon-Fou se lamentait. Assis au creux d'une vallée, il avait allumé un feu…

Un lièvre vint à lui en clopinant.

– Chauffe-toi près du foyer, lui dit Bourgeon-Fou. Le froid finira bien un jour.

– N'en est-il pas toujours ainsi ?
La saison du gel durait depuis si longtemps que le petit lièvre n'en avait jamais connu d'autre. Bourgeon-Fou le regarda d'un air soucieux.
– Le moment est venu pour moi de mettre les choses en ordre. Fréquentes-tu d'autres animaux dans les parages ?
– Oui. Le loup, le renard, le coyote et plusieurs oiseaux.
– Alors, va les voir et invite-les à tenir conseil.
Pendant la nuit, le lièvre courut aux quatre points cardinaux, transmettant les invitations.
Au matin, beaucoup d'animaux se rassemblèrent en cercle dans la vallée. Bourgeon-Fou leur dit :
– La Saison-Froide a assez duré. Nous allons partir à la recherche de la Belle-Saison. Il est probable que quelqu'un la retienne prisonnière. Nous devons la ramener dans notre contrée afin que les beaux jours reviennent.
Ils partirent tous ensemble et marchèrent durant trois lunes. Enfin, ils arrivèrent à la limite des neiges. Là, ils avisèrent un tipi dans une belle prairie bien verte.
Bourgeon-Fou dit à la grue :
– J'ai besoin de toi car tu voles silencieusement. Va te percher sur la tente que tu vois là-bas. Regarde par le trou à fumée et reviens me dire ce que tu auras vu.
La grue s'envola et réapparut au bout d'un moment.
– J'ai vu un sac étrange pendu à un piquet. De ce sac s'échappaient des chants d'oiseaux.
– C'est bien ce que je pensais, conclut Bourgeon-Fou. La Belle-Saison y est enfermée.
Puis il dit au renard :
– Toi, tu cours vite. Viens avec moi. Pendant que je parlerai à l'homme qui vit dans cette tente, tu t'empareras du sac et tu le porteras au loup. Le loup le transmettra au coyote et ainsi de suite jusqu'à ce que le sac soit hors de vue. De cette façon, peut-être parviendrons-nous à ramener la Belle-Saison chez nous.

Bourgeon-Fou et le renard se dirigèrent donc vers le tipi. Mais il était gardé par une sorte de gros lézard à poils roux. Bourgeon-Fou lui jeta une poignée de résine dans la gueule et l'étrangla. Puis il pénétra sous la tente. Un homme y faisait bouillir des herbes.
Il releva la tête.
– Qui es-tu ?
– Je suis Bourgeon-Fou. Je me promenais dans la région et je suis entré par politesse.
– Et mon gardien t'a laissé faire ?
– Il s'est étranglé en voulant trop crier.
– Que veux-tu ? Tu dois venir de loin ?
– Je viens des terres froides. Il fait beau ici.
– Je détiens la Belle-Saison dans un sac.
– Pourquoi la gardes-tu pour toi seul ?
– Si quelqu'un veut la prendre, il devra me combattre.
Pendant qu'ils parlaient, le renard s'empara du sac. Mais l'homme le vit et se baissa pour l'attraper. Le renard fit un saut de côté et détala. L'homme courut derrière. Le renard passa alors le sac au loup. Et celui-ci courut à en perdre haleine.
Lorsque l'homme fut sur le point de le rattraper, le loup donna le sac au coyote, qui prit la fuite.
– Attends, dit Bourgeon-Fou à l'homme. Tu vas te fatiguer, laisse-moi rattraper ce voleur à ta place. Fume une pipe en m'attendant ici.

Soulagé, le drôle suivit le conseil. Bourgeon-Fou disparut derrière une colline, se mouilla le visage dans l'eau de la rivière pour laisser croire qu'il transpirait, et revint vers l'homme.
– As-tu récupéré mon sac ?
– Non, le coyote galopait trop vite.
– Que vais-je devenir ? se lamenta l'égoïste.
– C'est bien fait pour toi, lui dit Bourgeon-Fou. Jusqu'ici tu n'as pensé qu'à toi et pas assez aux autres.
Et Bourgeon-Fou partit en compagnie de ses amis. Un peu plus loin, il dit aux animaux :
– Nous allons voir si ce sac contient bien la Belle-Saison.
Il défit le lacet qui le fermait et l'entrouvrit. Aussitôt, la neige se mit à fondre et les arbres fleurirent.
– C'est le bon sac, assura Bourgeon-Fou.
Plus loin encore, la neige s'épaissit et la marche devint plus fatigante. Alors, Bourgeon-Fou coupa une longue perche, attacha le sac à un bout et le tint devant lui. À mesure qu'ils avançaient, la neige fondait et la progression s'en trouvait facilitée. Derrière la petite troupe, les buissons se couvraient de fleurs et l'herbe verdissait.
Mais bientôt, le loup se plaignit :
– Cette terre et ces cailloux mettent mes pattes à vif. Je préfère marcher dans la neige.
Le coyote partagea ce point de vue et le renard aussi.
Une fois parvenus dans leur pays, les animaux tinrent un nouveau conseil. Le loup dit :
– Qu'avons-nous besoin de la Belle-Saison. Voyez, mes pattes sont en sang.
Mais le bison, le cerf et l'orignal furent d'un avis contraire. Ils savaient que l'herbe est bien meilleure quand il fait soleil.
– Nous allons arranger cela, déclara Bourgeon-Fou. Le mieux est que nous ayons un peu froid et un peu chaud. Je propose d'ouvrir le sac pendant vingt lunes et de le tenir fermé pendant vingt autres.

– Je ne suis pas d'accord pour avoir froid pendant vingt lunes, dit la grue.
– Moi non plus, dit l'oie sauvage.
– Alors vous partirez vers le sud et reviendrez quand vous voudrez, dit Bourgeon-Fou. De cette façon, chacun aura satisfaction.
– Et comment saurons-nous que nous changeons de saison ? demanda le bison.
– Vous saurez que la Saison-Froide tire à sa fin quand vous verrez la grue et l'oie revenir du sud. À ce moment, les animaux à l'épais pelage pourront perdre leurs poils. Lorsque les oiseaux repartiront, chacun saura que l'eau va geler.
– Et moi ? dit le Vent-du-Nord. Quel sera mon rôle ?
– Tu souffleras après le départ de l'oie et de la grue, durant la Saison-Froide.
– Et moi ? demanda le Vent-du-Sud.
– Tu murmureras à la Belle-Saison quand le Vent-du-Nord sera absent.
Puis, Bourgeon-Fou distribua de la graisse aux animaux.
– Tenez, vous mangerez cela lorsque vous voudrez avoir chaud pendant la Saison-Froide, si par hasard le Vent-du-Nord soufflait un peu trop fort. Maintenant, allez tous, et que chacun vive comme il lui plaira. En ce qui me concerne, j'ai assez parlé.

De ce jour, tous les animaux de la terre appelèrent Bourgeon-Fou par son vrai nom. Ils le nommèrent Kitschikawano, car ils savaient qu'il était un bon génie.

LE LOUP ET LE RATON LAVEUR

ILLUSTRÉ PAR FABRICE TURRIER

LÉGENDE DE LA TRIBU DES WICHITA

6 MINUTES

POUR SE JOUER DU LOUP

Un raton laveur se promenait.
En chemin, il rencontra un loup qui lui dit :
– Je n'ai rien mangé depuis trois soleils. N'aurais-tu pas quelques restes à partager avec ton ami ?
– Depuis quand es-tu l'ami des ratons laveurs ?
– Je l'ai toujours été, répondit le loup. Jamais je n'ai croqué un de tes congénères sans sa permission.
Le raton laveur retint un rire moqueur.
– Dans ce cas, je vais t'aider. J'ai là quelque chose à manger, mais je ne sais pas si tu apprécieras cette nourriture.
– Je suis affamé et je dévorerais n'importe quoi.

Fort de cette confidence, le raton laveur enveloppa trois petites boules noires dans une feuille d'érable et lui tendit le tout.
Le loup avala le contenant et le contenu, et déclara avec un air satisfait :
– Je n'ai jamais rien goûté d'aussi fameux.
Le raton laveur sourit et chanta :
– J'ai fait manger ma crotte au loup. J'ai fait manger ma crotte au loup…
– Que fredonnes-tu ainsi entre tes dents ? demanda le loup.
– Rien de très important. Je disais qu'il fait beau aujourd'hui.
Et les deux animaux s'en allèrent de concert.
Un peu plus loin, ils arrivèrent près d'un grand arbre. Alors, le raton chanta de nouveau à haute et intelligible voix :
– J'ai fait manger ma crotte au loup. Le loup a mangé ma crotte…
– Quelle cochonnerie ! s'écria le loup en crachant à terre. Puisqu'il en est ainsi, je vais te manger toi aussi.
Il voulut se jeter sur le raton laveur, mais celui-ci grimpa sur une haute branche de l'arbre.
– Attrape-moi si tu le peux !
Le loup dressa le museau.
– Qu'à cela ne tienne, j'attendrai que tu redescendes. Il te faudra bien quitter cet arbre si tu ne veux pas mourir de faim.
Le loup alluma un feu et se coucha à côté.
Il pensa : « Le raton va s'endormir et il tombera de sa branche. »
Le raton laveur songea de son côté : « Le loup va s'endormir et alors je pourrai m'enfuir en toute sécurité. »
Au bout d'un moment, le loup parut s'assoupir.
Le raton laveur jeta un morceau d'écorce dans sa direction.
Le loup bondit et mordit dedans.
– Pouah ! Ce n'est pas mon ami le raton. Retournons auprès du feu et attendons encore.
Et il reprit la pause.
Le raton laveur attendit plus longtemps avant de jeter un nouveau bout d'écorce.

Le loup sauta dessus une nouvelle fois et s'écria :
– Ce n'est guère aimable de vouloir me tromper.
Le raton laveur répondit :
– Je n'avais pas l'intention de t'abuser. J'ai remué et un morceau de la branche est tombé.
Le loup bougonna et se recoucha près de son feu. Mais cette fois, la douce chaleur l'engourdit et il s'endormit pour de bon.
Le raton jeta un troisième morceau de bois. Le loup ne bougea pas. Alors le raton entreprit de descendre prudemment de son arbre.
Arrivé en bas, il murmura :
– Dors bien, mon petit frère loup, pendant ce temps ton repas s'éloigne de toi.
Puis il recouvrit les yeux du loup avec sa crotte et partit vers la rivière se laver les pattes.
Lorsque le loup se réveilla, il ne put ouvrir les paupières. Il se dit : « Ce doit être encore un coup du raton laveur. Je vais aller à la rivière pour me nettoyer les yeux. »
Après avoir parcouru quelques pas, il se cogna contre un arbre.
– Quelle espèce d'arbre es-tu ? demanda-t-il.
– Je suis un érable.
– La rivière est-elle loin d'ici ?
– Il te faut marcher droit devant toi.
Le loup continua sa course aveugle et heurta un autre arbre.
Quelle espèce d'arbre es-tu ?
– Je suis un hickory.
– La rivière est-elle loin d'ici ?
– Je pousse sur la colline qui la domine. Descends la pente et tu la trouveras.

Le loup descendit le terrain en pente. C'est alors qu'une troisième fois il donna de la tête contre un arbre.
– Quelle sorte d'arbre es-tu, mon cousin ?
– Je suis un sycomore.
– Suis-je sur le chemin de la rivière ?
– Elle est devant toi.
Le loup reprit sa marche incertaine.
Le raton regardait la scène en se retenant de rire. Il coupa une branche de saule et la planta sur le chemin du loup. Ce dernier se cogna dedans et interrogea :
– Quel genre d'arbre es-tu, mon oncle ?
Le raton laveur prit la voix du saule et répondit :
– Je suis un saule. Que t'arrive-t-il, mon pauvre loup ?
– Le raton laveur m'a joué un tour. Il m'a collé les yeux avec sa crotte.
– Quel goujat ! s'indigna le raton. Et que vas-tu faire maintenant que te voilà aveugle ?
– Me laver les yeux dans la rivière. Ensuite, je le retrouverai et je le dévorerai.
– Il ne mérite pas un meilleur sort !
– Veux-tu m'aider ?
– Avec le plus grand plaisir. Que puis-je faire pour toi ?
– Dis-moi où est la rivière.
– Ce n'est guère difficile. Tu en es tout près, marche et tu y arriveras.
Mis en confiance par ce nouvel allié, le loup trottina vers la berge et entra dans le courant.
– Dis-moi mon ami saule, jusqu'où ai-je de l'eau ?
– Jusqu'au genou.
Le loup avança un peu plus.
– Et maintenant, jusqu'où en ai-je ?
– Jusqu'au ventre.
Quelques pas plus loin, il demanda encore :
– Dis-moi, mon frère, jusqu'où en ai-je cette fois ?

– Jusqu'au cou. Tu peux y aller sans crainte, je te préviendrai quand il faudra t'arrêter.
Le loup fit encore trois pas.
– Et cette fois, jusqu'où… ?
Mais il n'acheva pas sa phrase. L'eau lui entra dans la gueule et le loup se noya.
Le saule interrogea alors le raton laveur :
– Pourquoi as-tu joué ce vilain tour au loup ?
– Pour lui apprendre à être moins hypocrite. On n'appelle pas son ami celui que l'on veut dévorer.

PERSONNE N'EST PARFAIT

CELUI QUI VOULAIT VIVRE AUX CROCHETS DES AUTRES

ILLUSTRÉ PAR FABRICE TURRIER

LÉGENDE DE LA TRIBU DES MANDAN

6 MINUTES

POUR METTRE UN ORIGNAL EN COLÈRE

Cela se passait à une lointaine époque, alors que les hommes n'étaient encore que des animaux.

Un orignal avait été tué par un bison. Ce dernier lui avait pris toutes ses femmes et l'avait laissé sans sépulture. Sur ces entrefaites un coyote passa qui, apercevant l'orignal mort, commença à s'en moquer.

– Te voici couché pour de bon, gros plein d'herbe. Tu ne m'ennuieras plus maintenant.

Et, avisant sur la tête de l'orignal les bois qui avaient toujours eu le don de le mettre en colère, il entreprit de les briser en tapant dessus avec une grosse pierre.

Mais comme ils résistaient, le coyote enfonça un bâton dans le derrière de l'orignal.

Celui-ci ne put en supporter davantage : il ressuscita et se dressa sur ses pattes. Épouvanté, le coyote s'enfuit. L'orignal lui donna la chasse. Sur le point d'être rejoint, le coyote se réfugia dans une étroite caverne. Ne pouvant y entrer, l'orignal se coucha devant et attendit que l'autre en sortît.

Mais l'attente parut trop fastidieuse au coyote. Il prit la forme d'un ours et sortit de la grotte.

– Pourquoi es-tu allongé devant mon habitation ? demanda-t-il à l'orignal.

– Le coyote est caché à l'intérieur.

Et l'orignal conta à l'ours les sévices qu'il avait subis.

– L'ignoble individu ! s'écria le faux ours. Attends-moi ici, je vais le punir.

Le coyote se précipita dans la caverne, se mit à jeter des pierres contre les murs, cria et entrechoqua tout ce qu'il put trouver. Puis, il ressortit.

– Ça y est ! S'il n'est pas mort, il n'en vaut guère mieux.

Soulagé, l'orignal décida de partir à la recherche de ses femmes et il suivit leurs traces. Le coyote, lui, préféra aller faire un tour chez l'orignal afin de voir ce qu'il pourrait bien voler.

Ce qu'il vit dans la hutte de son ennemi l'enchanta. Mais quand il voulut s'emparer des morceaux de viande pendus à une poutre, ceux-ci s'enfuirent devant lui. Alors, il voulut prendre un os pour se régaler de sa moelle. Mais l'os s'échappa à son tour.

Avisant de belles peaux de loutre, il voulut s'en saisir. Hélas, les peaux prirent la fuite et il ne put en attraper aucune.

C'est alors que l'orignal rentra chez lui et trouva le coyote.
– Cette fois, tu ne m'échapperas pas.
Le coyote se fit mielleux :
– Peut-être vaut-il mieux m'épargner.
– Que veux-tu insinuer ?
– Prochainement, tu vas devoir livrer un combat contre le bison et je pourrai t'aider. Nous ne serons pas trop de deux pour venir à bout de ce voleur de femmes.
– Soit ! J'accepte ta collaboration. Que proposes-tu pour m'être utile. As-tu une spécialité ?
– Je sais hurler et courir.
– Ce n'est guère suffisant pour terrasser un bison. Attends, j'ai une idée.
L'orignal décrocha une paire de cornes pendue au mur et les fixa sur le crâne du coyote.
– Ainsi équipé, tu seras meilleur au combat.
Ils prirent la piste et retrouvèrent le bison.
– Attaque-le de front, je lutterai à ton côté, dit le coyote.
L'orignal chargea. Sa fureur était si grande qu'il culbuta le bison du premier coup et le tua. Puis, il chercha le coyote du regard.
– Où es-tu ? Le bison est mort.
Le coyote sortit en rampant de derrière un fourré.
– J'allais lui sauter à la gorge lorsque tu as bondi.
Et il donna un coup de pied à la dépouille.
L'orignal récupéra ses épouses, emmena le coyote dans sa cabane et lui dit :
– Pour te récompenser de m'avoir aidé, je vais te donner une de mes femmes.
– Bien volontiers. Mais j'aimerais aussi une chaude couverture en prévision de la saison froide.
Il reçut femme et couverture puis demanda encore :
– Je vois que tu as deux paires de solides mocassins, n'en as-tu pas une de trop ?

L'orignal partagea par moitié.
– Cet arc et ces flèches me seraient bien utiles.
L'orignal les lui offrit et lui donna encore un bouclier, un vêtement de peau, une lance et une coiffe de plumes.
– En as-tu assez pour aujourd'hui ?
– C'est bien. Je vais porter tout cela chez moi et je reviendrai te voir pour t'emprunter un peu de viande.
Et le coyote partit avec son fardeau. Une fois sous sa hutte, il se dit : « C'est bête, je n'ai rien à manger, il me faut donc retourner là-bas. »
Puis, avisant sa nouvelle épouse, il pensa : « Pourquoi me fatiguer à retourner chez l'orignal puisque j'ai ici de la viande fraîche ? » Sans plus de formalité, il préleva sur sa femme une belle tranche dans la cuisse et la mangea. Le lendemain il fit de même, et ainsi le surlendemain. À la fin, sa femme se dit : « Non seulement ce nouveau mari ne chasse pas, mais il me dévore un peu plus chaque jour. »
La femme orignal s'échappa pendant la nuit et alla conter sa mésaventure à l'orignal.
– Vois ce qu'il fait de l'épouse que tu lui as donnée.
Outré par tant de désinvolture, l'orignal entra dans une colère folle. Un souffle puissant sortit de ses narines et s'étendit sur toute la contrée. Le vent se mit alors à tourbillonner en tempête. Le coyote voulut s'en protéger en revêtant son habit de peau. Mais l'ouragan le lui arracha des mains. Le coyote appela au secours. Rien n'y fit. Le vent redoubla d'efforts et enleva successivement au coyote les biens que l'orignal lui avait offerts. Et quand enfin le coyote se retrouva nu, la tempête cessa et tout redevint calme.

À la saison des grands vents, un oiseau passe au-dessus du village des Mandan et conte cette histoire à qui veut l'écouter.

L'HOMME DONT LA COLÈRE ÉTAIT TROP GRANDE

ILLUSTRÉ PAR CHRISTIAN GUIBBAUD

LÉGENDE DE LA TRIBU DES PIEDS-NOIRS

9 MINUTES

POUR TENTER DE SE CALMER

Autrefois, un homme habitait dans les monts que les Indiens appellent les Montagnes-Étincelantes. À vrai dire, il ne vivait pas en un endroit particulier. Ici un jour, là un autre, il s'installait où il se trouvait. Ce nomade, nommé Figure-d'Ours, se savait si coléreux qu'il préférait rester loin du monde.

Figure-d'Ours venait juste de tuer un mouflon quand une femme, qu'il n'avait pas entendue venir, s'approcha de lui.

Celle-ci s'agenouilla sans adresser un mot au chasseur et l'aida à dépecer le mouflon.

La femme était plaisante et elle travaillait bien. Au bout d'un moment, Figure-d'Ours lui demanda :

– D'où viens-tu et comment t'appelles-tu ?

– J'arrive de la haute montagne et je me nomme Fille-du-Rocher, répondit la femme.
Figure-d'Ours invita Fille-du-Rocher à partager son repas. La femme accepta et s'empressa de cuire la viande. En mangeant, l'homme considéra sa compagne. Elle ne consommait que peu d'aliments et ne parlait pas beaucoup. Ces deux qualités plurent énormément au chasseur. Il lui proposa :
– Si tu le veux, je puis t'épouser.
Fille-du-Rocher répondit :
– Tu ne parais pas être un mauvais chasseur, je veux bien devenir ta femme.
Ils bâtirent une hutte sur le lieu de leur rencontre et y demeurèrent.
L'homme s'aperçut que son épouse cuisinait et cousait fort bien. Il en devint amoureux. Mais la plupart du temps, bien qu'il l'aimât, il ne pouvait s'empêcher de la rudoyer. Souvent, la colère montait en lui sans qu'il parvienne à la réprimer. Alors sa voix devenait rude et ses paroles grossières. Un jour, Fille-du-Rocher lui dit :
– Tes fureurs soudaines sont comme les vagues du grand lac. Ton langage est brutal, mais je ne crois pas que tu aies mauvais fond. Tu es ainsi et tu n'y peux rien, tel est ton caractère. Je sais que dans ces moments de colère tu éprouves le désir de me battre. Je ne suis pas une fleur délicate que fane un rayon de soleil. Néanmoins, je dois t'avertir, ne me frappe jamais avec un morceau de bois enflammé. Souviens-toi de mes paroles, sinon il t'arriverait malheur.

À quelque temps de là, Figure-d'Ours voulut changer de campement. Il déclara à Fille-du-Rocher :
– De toujours contempler le même paysage me met en colère. Nous allons traverser cette vallée et nous établir sur cette autre montagne. Fais fondre de la graisse, prépare des provisions et range toutes nos affaires. Démolis aussi cette vieille cabane, elle a le don de m'énerver. Je m'absente pour calmer ma fureur. Que tout soit prêt à mon retour.
Et il partit en vociférant.
Figure-d'Ours s'éloigna si vite que Fille-du-Rocher n'eut pas le temps de lui apprendre qu'elle était dans son époque impure. Durant cette période, les femmes ne peuvent toucher aucun objet usuel sans le souiller et attirer le malheur sur le logis.
Quand Figure-d'Ours revint, il semblait apaisé. Mais il recommença aussitôt à hurler :
– Que vois-je, la cabane est encore debout ! Tu n'as pas préparé la nourriture indispensable au voyage et tu n'as plié aucun de mes vêtements !
Figure-d'Ours secoua si fort la hutte qu'il en brisa les montants. Il cogna les ustensiles de cuisine les uns contre les autres et piétina les couvertures en peau de chèvre sauvage. Sa colère le submergea si totalement que l'homme en eut finalement honte. Il dit :
– Tu es une bonne épouse et je ne suis qu'une brute. Attends-moi, je vais aller méditer sur ma conduite près de la rivière.
Parvenu au bord de l'eau, il s'assit sur une grosse pierre et s'absorba dans ses pensées.
Une vieille femme aux jambes tordues apparut sur la rive opposée.
Elle lui cria :
– Ohé, l'homme ! Tu es jeune et fort, aide-moi à traverser.
Mais la vue de cette vieille ne fit que l'agacer.
Figure-d'Ours répliqua :
– Tais-toi donc, fichue sorcière. Tu m'écorches les oreilles !
– N'as-tu donc pas pitié de mes pauvres membres ? demanda la femme. Si tu ne me portes pas dans tes bras, je ne pourrai jamais rentrer chez moi.

– Tu m'horripiles ! hurla le chasseur. Je ne suis pas là pour t'aider. Je vais plutôt te jeter à l'eau.
En dépit de cette déclaration, Figure-d'Ours prit la vieille sur son dos et la déposa sur l'autre berge. La femme lui dit :
– Pour te récompenser de ton bon geste, je t'offre les nombreuses années que j'ai passées sur terre. Te voici donc plus vieux que ton âge. Ainsi tu es assuré de voir un jour tes cheveux gris.
– Pourquoi me fais-tu ce cadeau ? interrogea le chasseur.
– Parce que ton cœur n'est pas aussi rude que tes paroles. Beaucoup trop d'hommes meurent alors qu'ils ont encore leurs cheveux noirs. Ce désagrément te sera épargné.
Plus tard, Figure-d'Ours vit ses tempes blanchir en dépit de son jeune âge et il en fut très heureux. Cependant, son mauvais caractère ne le quitta pas.
Un matin, alors qu'il poursuivait un daim, il se mit dans la tête que sa femme le trompait. Il entra dans une grande fureur et, abandonnant le gibier, il se précipita chez lui. Arrivé devant sa cabane, il tonna :
– Où est-il ? Il faut que je le trouve et le tue à l'instant !
– De qui parles-tu ? demanda Fille-du-Rocher.
– De ton amant, à qui je vais fendre le crâne avec ce tomahawk.
Son épouse lui dit :
– Plaçons-nous devant cet arbre. Il se brisera si l'un de nous prononce un mensonge.
Fille-du-Rocher posa sa main sur l'écorce et dit :
– Je suis fidèle à mon mari.
L'arbre ne bougea pas.
Figure-d'Ours s'adossa contre le tronc et cria :
– Ma femme me trompe !
L'arbre se fendit si subitement que Figure-d'Ours faillit le prendre sur la tête.
La femme crut que cette expérience allait calmer les colères de son époux. Mais il n'en fut rien.

Quand arriva la Lune-des-Belles-Feuilles, la fumée du foyer envahit toute la cabane. Figure-d'Ours s'emporta une fois de plus.
– Ne sais-tu pas faire un feu ? aboya-t-il.
– Le bois est vert en cette saison, dit Fille-du-Rocher. Que voudrais-tu que j'y change, dois-je souffler dessus pour le sécher ?
Mis hors de lui par cette réplique, Figure-d'Ours saisit une branche enflammée et l'abattit sur le dos de son épouse.
– Tu as eu tort de me frapper avec un brandon, dit celle-ci. Je t'avais pourtant prévenu. Ta grande colère a fait de toi un homme sourd et aveugle.
Déjà morfondu, Figure-d'Ours n'en écouta pas plus. Il sortit de la hutte et s'éloigna en direction de la forêt.
En route, il rencontra l'esprit de Manitoo [1].
Celui-ci lui dit :
– Une tempête est dans ton cœur et tu rends malheureuse celle que tu aimes. Je suis Manitoo-l'Être-Éternel et je pourrais aussi bien te tuer immédiatement. Néanmoins, je te laisse la vie en échange de ta femme.
Cette réprimande exaspéra Figure-d'Ours.
Il répliqua sèchement :
– Tu n'es guère exigeant dans tes transactions. Si tu veux t'encombrer de cette femme inutile, prends-la donc ! Attends-moi ici, je vais la chercher.
Le chasseur courut jusqu'à sa cabane. Il n'y trouva pas son épouse et pensa : « Elle est certainement sortie. Si Manitoo la veut, il la trouvera bien lui-même. »
Figure-d'Ours s'installa sous sa hutte et oublia l'échange qu'il avait fait avec le Grand-Esprit. Après quatre lunes, il se calma et commença à regretter la présence de Fille-du-Rocher.
Il se dit : « Il est grand temps que je parte à sa recherche. Elle doit se trouver du côté du lac. » Il partit.

1. Manitoo : c'est le nom que l'on donne au Grand-Esprit (ou Être-Éternel), celui qui a créé l'Univers, dans la tribu des Pieds-Noirs. Chez les Sioux, on l'appelait Wakanda.

En chemin, il rencontra un crâne d'orignal blanchi par la neige. Il l'interrogea :
– N'aurais-tu pas vu une femme passer ?
Le crâne cracha la terre entrée dans sa bouche et répondit :
– Si, elle marchait le dos courbé par la fatigue. Cette femme semblait sous l'emprise d'un grand chagrin.
La colère monta à nouveau dans le cœur de Figure-d'Ours. Il expédia un coup de pied dans le crâne et lui fit dévaler la pente. Puis il pensa : « Elle est partie retrouver ce chenapan de Manitoo. Si je le rencontre, je l'assomme avec ma massue. »
Et très vite, il regretta sa mauvaise humeur. Pour la première fois de sa vie, sa peine fut plus forte que sa rage.
Il se dit : « Ma pauvre femme est certainement morte à cause de moi. Les loups ont dû la manger. »
Figure-d'Ours recouvrit sa poitrine de terre et saupoudra son visage de cendre en signe de deuil. Enfin, il se coupa deux doigts pour montrer son repentir et s'entailla les mollets et les joues pour se mortifier.
Ruisselant de sang, Figure-d'Ours incendia sa cabane, dispersa au vent tout ce qu'il possédait et s'installa misérablement au creux d'un éboulis.
L'homme passa alors des jours à méditer sur sa regrettable conduite. Il resta si longtemps sur place sans bouger qu'il y prit racine.
Figure-d'Ours devint un grand arbre et de longs cheveux de lianes blanches pendirent de ses branches.

L'INDIEN QUI NE VOULAIT PAS CHASSER

ILLUSTRÉ PAR FABRICE TURRIER

LÉGENDE DE LA TRIBU DES MENOMINEE

6 MINUTES

POUR ÊTRE PUNI DE SA FAINÉANTISE

Ombre-de-Pas vivait misérablement avec sa vieille grand-mère. La disette sévissait sous son tipi. Et malgré cela, le jeune homme partit un jour se promener dans la forêt. En route, il traversa une prairie et rencontra un bison. C'était un grand bison bien gros. Ombre-de-Pas l'examina avec envie et pensa : « Dommage que je n'aie pas le courage de chasser aujourd'hui. Ce mâle a une bosse magnifique. Elle doit être grasse et savoureuse à souhait. À mieux y regarder, le reste doit être bon aussi. Les filets et les côtes sont certainement excellents et ses flancs feraient de délicieux ragoûts. Et la langue ! Quelle bonne soupe ma grand-mère ne ferait-elle pas avec ! Quant aux autres morceaux, ils sont sans doute un peu coriaces. Bah ! ma grand-mère pourrait les faire sécher, les piler et les manger en poudre. »

Ainsi réfléchissait Ombre-de-Pas, qui, en se pourléchant, n'en continua pas moins sa promenade.

Plus loin, il rencontra un ours qui mangeait des mûres. Ombre-de-Pas se dit : « Bigre ! Il y a bien longtemps que je ne me suis régalé de viande d'ours. Si je n'étais pas aussi fatigué, je tuerais ce gros animal. Je mangerais son cœur pour acquérir son courage et sa force. Et puis, j'arracherais ses griffes pour m'en faire un collier et j'offrirais une de ses pattes à ma grand-mère, c'est la partie de l'ours qu'elle préfère certainement. Et quelle belle couverture je me ferais avec sa peau ! »

Tout en soliloquant de la sorte, Ombre-de-Pas soupira avec tant de conviction que l'ours lui demanda :

– Qu'as-tu à geindre ainsi, petit homme ?

– Je suis bien triste, répondit Ombre-de-Pas.

– Est-ce si grave ?

– Si tu pouvais imaginer ce que le bison vient de me dire de toi, tu ne resterais pas tranquillement ici à manger des mûres.

– Tiens, c'est drôle, je viens de le croiser et il ne m'a rien dit.

– À toi, bien sûr ! Mais il raconte derrière ton dos que, si tu croises à nouveau son chemin, il te plantera ses cornes dans le ventre et te jettera en l'air.

L'ours ne fit que pousser un grognement et ne répondit rien. Ombre-de-Pas s'en alla trouver le bison.

– Es-tu au courant de ce que l'ours raconte sur toi ?

– L'ours est mon ami, petit homme.

– Il n'y paraît pas. Si tu connaissais les propos qu'il tient à ton sujet, tu ne resterais pas ici à brouter placidement.

– Et que dit-il ?

– Il prétend qu'il peut t'arracher la tête d'un seul coup de patte.

Indifférent en apparence, le bison secoua son gros mufle pour en chasser les mouches et continua à manger son herbe.
Ombre-de-Pas revint trouver l'ours.
– Le bison dit que tu n'es qu'un poltron et que jamais tu n'oserais t'attaquer à lui.
L'ours fit un geste évasif.
– Je n'ai aucune raison de le combattre. Qu'il me laisse tranquille comme je le fais moi-même.
Ombre-de-Pas retourna jusqu'au bison.
– L'ours t'insulte. Il te traite de jambes maigres.
– Pourquoi parle-t-il ainsi ? Mes jambes sont fines et je ne voudrais pas avoir d'aussi grosses pattes que lui.
Ombre-de-Pas alla vers l'ours.
– Le bison est furieux contre toi. Il dit que tu as de grosses pattes et une queue toute tordue. Il prétend même que tu es laid à faire peur.
– Qu'il cesse de dire du mal de moi, ou je vais me fâcher.
Ombre-de-Pas revint vers le bison.
– Lorsque l'ours parle de toi, il n'a qu'insultes à la bouche. Il te traite de grosse bosse flasque.
– S'il continue, je vais aller lui apprendre la politesse à ce mal-léché.
Et Ombre-de-Pas retourna vers l'ours.
– Le bison ne cesse de se moquer de toi. Il dit qu'il va venir piétiner tes mûres.
L'ours grommela :
– Qu'il y vienne ! Je vais lui montrer qui je suis.
De nouveau, Ombre-de-Pas courut vers le bison.
– L'ours affirme que tu n'es qu'une grosse panse. Il se propose d'uriner sur l'herbe que tu manges. Tiens, d'ailleurs, le voici.
Le bison mugit de rage.
Alors les deux animaux se précipitèrent l'un sur l'autre. À l'écart, Ombre-de-Pas les regarda lutter furieusement. Les charges devinrent si redoutables que bison et ours finirent par s'entretuer.

Après qu'ils furent morts tous les deux, Ombre-de-Pas dépeça les bêtes et pensa : « Maintenant, je vais pouvoir me régaler avec ces idiots. »
Mais les gros animaux représentaient une trop lourde charge pour le jeune Indien. Il songea encore : « Je vais aller chercher ma grand-mère afin qu'elle m'aide à porter ce fardeau dans notre tipi. »
Parvenu au village, Ombre-de-Pas dit à sa grand-mère :
– Je ne peux porter seul cet énorme tas de viande.
La vieille femme esquissa un sourire.
– Mon petit-fils veut plaisanter. Chacun sait dans ce village qu'Ombre-de-Pas est incapable de se décider à chasser.
– J'ai pourtant tué un ours et un bison. Ils sont dans la prairie. Vois, mon couteau est tout ensanglanté.
– Tu as dû te couper un doigt en voulant tailler une branche. Personne ne croit ici que tu es capable de couper autre chose.
– Viens avec moi, et tu verras que je ne mens pas.
À la fin, exaspérée, la grand-mère dit :
– C'est bon. J'irai demain.
Le lendemain matin, ils partirent vers la prairie.
Ombre-de-Pas chercha en vain son bison et son ours, et il ne les vit pas.
À la place, il ne trouva que deux squelettes. Durant la nuit, les chacals avaient mangé la viande.
La grand-mère dit :
– Je savais bien que tu ne pouvais pas avoir tué de si gros animaux. Enfin, tu as trouvé un tas d'os, et c'est très bien. J'en ferai une bonne soupe et nous mangerons la moelle.
Depuis ce jour, Ombre-de-Pas a changé de nom. Chacun dans le village l'appelle maintenant Celui-qui-Chasse-dans-sa-Tête.

LES FILLES DÉSOBÉISSANTES

ILLUSTRÉ PAR CHRISTIAN GUIBBAUD

LÉGENDE DE LA TRIBU DES MODOCK

11 MINUTES

POUR VIVRE AVEC UNE TÊTE

Une femme avait deux filles. L'aînée se nommait Rayon-Bleu-Pâle et la cadette Racine-Chantante.

Dans une contrée voisine vivait un homme. Il avait une très bonne réputation et s'appelait pour cela Homme-Bien-Sec.

La femme décida un jour qu'Homme-Bien-Sec serait un bon mari pour ses filles.

Elle leur dit :

– Vous êtes en âge de prendre un époux. Mettez vos plus belles parures, préparez un panier de provisions et rendez-vous chez Homme-Bien-Sec. Je suis sûre qu'il vous acceptera car il doit se sentir bien seul.

À cette nouvelle, les deux sœurs furent très heureuses. Mais leur mère précisa :

– Faites très attention. Arrivées près du lac, prenez surtout le chemin de droite. Celui de gauche vous mènerait à la hutte d'Homme-Gluant. Celui-ci a de gros yeux et il est foncièrement mauvais. Vous ne devez avoir aucun contact avec ce malfaisant, il serait même catastrophique de lui adresser une seule parole.

Les deux sœurs s'apprêtèrent et partirent.

Près du lac, deux chemins s'offrirent à elles. Celui de droite était rocailleux alors que celui de gauche semblait bien tracé et d'accès plus facile.

Rayon-Bleu-Pâle dit :

– Allons à gauche, nous aurons moins de mal à marcher.

– Notre mère nous a bien recommandé de prendre celui de droite, remarqua Racine-Chantante.

Toutefois, comme sa sœur s'engageait dans le sentier le plus aisé, Racine-Chantante la suivit.

Elles parvinrent devant une hutte d'herbe sèche. À l'intérieur se trouvaient deux cruches pleines d'eau.

– Nous allons nous rafraîchir, dit Rayon-Bleu-Pâle.

Elles se penchèrent sur les vases, mais l'eau se mit à bouillir et leur sauta en plein visage.

– Ceci est mauvais signe, déclara Racine-Chantante. Retournons prendre la route que nous avait conseillée notre mère.

Mais sa sœur ne voulut rien entendre et continua sur le même chemin.

Plus loin, elles trouvèrent une nouvelle cabane faite de branchages. Dedans il y avait deux bâtons.

– Voici qui nous aidera à marcher, dit Rayon-Bleu-Pâle.

Chacune tenta d'en prendre un ; mais au moment de les saisir, les morceaux de bois s'animèrent, volèrent à travers la cabane, leur administrèrent des coups sur le dos et les chassèrent de la hutte.

– Voici un autre mauvais présage, dit Racine-Chantante. Retournons sur le chemin que notre mère voulait nous voir prendre.

Rayon-Bleu-Pâle ne voulut rien savoir. Elle entraîna sa sœur et toutes deux continuèrent sur la même route.

Elles parvinrent devant une troisième hutte, faite d'écorce de bouleau. Un feu brûlait à l'intérieur.

– Le soleil s'est caché, entrons nous chauffer, dit l'aînée.

Elles s'assirent près du foyer.

Des fourmis rouges sortirent de terre, les piquèrent aux jambes, aux bras et sur tout le corps. Les sœurs poussèrent des cris de douleur et sortirent bien vite de la cabane.

– Voici qui est décidément de très mauvais augure, se lamenta Racine-Chantante. Nous n'aurions jamais dû désobéir à notre mère.

– Ces désagréments ne sont que pur hasard, répondit sa sœur.

Elles reprirent la piste. Au bout d'un moment, Racine-Chantante remarqua :

– Vois, ma sœur, le chemin se couvre de pierres aux arêtes tranchantes et le paysage est moins joli.

Alors que l'aînée allait rassurer la cadette pour la quatrième fois, un homme apparut. Son visage et tout son corps transpiraient à grosses gouttes. Anxieuse, Racine-Chantante murmura :

– Ce doit être Homme-Gluant. Vois comme il est poisseux et les gros yeux qu'il a.

– Où allez-vous, belles jeunes filles ? interrogea l'homme sinistre.

Devant cette affreuse créature, les deux jeunes sœurs oublièrent qu'elles ne devaient pas lui adresser la parole.

– Nous allons nous faire épouser par Homme-Bien-Sec, répondirent-elles en même temps.

– Le soir tombe, dit l'épouvantail. Venez donc passer la nuit chez moi.
Les filles n'étaient guère rassurées, elles décidèrent de reprendre la route sur-le-champ. Homme-Gluant n'insista pas, mais pendant qu'elles s'éloignaient, il prononça des mots étranges.
Alors, les beaux vêtements des deux jeunes filles se changèrent en abominables oripeaux, leurs colliers de fruits secs ressemblèrent à de vulgaires liens d'herbe tordue, leurs ornements de coquillages ne furent plus que de petits morceaux d'écorce rabougris, les provisions se couvrirent de moisissures, le panier pourrit et se désagrégea. Les deux sœurs étaient devenues de vieilles femmes percluses de rhumatismes, leurs beaux cheveux noirs étaient maintenant blancs et tombaient par mèches entières. Lorsqu'elles se regardèrent, elles s'aperçurent qu'elles avaient de longues dents jaunes et qu'elles étaient laides à faire peur.
– À n'en pas douter, c'est Homme-Gluant qui nous a jeté un sort, déclara Rayon-Bleu-Pâle. Retournons vers lui et épousons-le. Aucun autre homme ne voudra de femmes aussi affreuses.
Honteuses de leur nouvel aspect, elles revinrent en arrière. Homme-Gluant les attendait sur le pas de sa porte, un sourire satisfait aux lèvres. Il épousa les deux vieilles difformes et parut s'en accommoder très bien.
La mère des jeunes filles avait fait un songe et s'était rendu compte de ce qui était arrivé à ses deux enfants. Elle alla consulter un sorcier. Il lui apprit le Chant-à-Changer-les-Choses. De retour chez elle, la brave femme le fredonna toute la journée.
Homme-Gluant avait maintenant deux bouches supplémentaires à nourrir. Il devait donc aller à la chasse plus souvent. Ce jour-là, il tua un cerf. Il le chargea sur son dos et revint vers sa hutte. Après quelques pas, le fardeau lui parut très pesant. Le chant de la mère des deux filles avait posé une pierre sur le chemin. Homme-Gluant buta dessus et tomba. Éprouvant du mal à se relever, il coupa le cerf en deux et n'en prit que la moitié.
Mais la charge était encore trop pesante. Homme-Gluant coupa encore un morceau, puis un autre, et abandonna finalement toute sa viande.

Malgré cela, il sentait un poids énorme peser sur ses épaules. Il n'avançait qu'avec peine. Dans l'intention de s'alléger, il ôta ses habits, ses mocassins, jeta son arc et ses flèches. Mais une grande fatigue l'alourdissait encore. Il s'arracha donc le bras droit, et le gauche. Cependant, il subissait toujours cette inquiétante sensation de pesanteur.
Excédé, il se débarrassa de ses jambes, abandonna ses côtes une à une. Si bien que seule sa tête continua à rouler sur le sol. Heureusement, le sol était en pente et la tête put parvenir jusqu'à sa hutte.
Alors, pour les deux femmes commença une drôle de vie. Elles se retrouvèrent mariées à une tête. Il fallait la laver, la peigner, la gratter, s'en occuper constamment. Elles durent construire une petite plate-forme afin de poser la tête dessus. Homme-Gluant voulait continuer à jouir de ses aises.
Du haut de sa plate-forme, la tête ne cessait d'observer les femmes de ses gros yeux injectés de sang et ne faisait rien d'autre.
– Qu'allons-nous devenir ? pleura Racine-Chantante. Qui nous donnera de la viande maintenant que notre mari ne peut plus chasser ?
– Crois-tu que je sois si impuissant ? s'écria la tête. Menez-moi dans la forêt, mes femmes, je vais vous montrer que je suis encore redoutable.
Elles mirent la tête dans un panier et partirent dans les bois. Un orignal mâchait de l'herbe tranquillement dans une clairière. Les sœurs sortirent aussitôt la tête du panier.
– Montez-moi dans cet arbre, dit celle-ci, je dois avoir une vue plongeante.
Les femmes grimpèrent dans le peuplier, hissant la tête derrière elles. Une fois dans les branches maîtresses, celle-ci demanda à être placée face à l'orignal. Quand ce fut fait, elle partit tout à coup comme un éclair. L'orignal reçut le choc en plein front et tomba mort. Les deux femmes coupèrent l'animal, remirent la tête dans le fond du panier et la recouvrirent de viande. Racine-Chantante dit à l'oreille de sa sœur :
– Je t'en prie, Rayon-Bleu-Pâle, ne retournons plus dans cette maudite hutte. Essayons plutôt de revenir chez notre mère.

L'aînée accepta. Et les deux sœurs partirent avec leur panier.
Près du lac, à la croisée des chemins, elles rencontrèrent un homme. Il avait la peau bien lisse et les yeux normalement enfoncés dans les orbites.
– Ce doit être Homme-Bien-Sec, murmura Racine-Chantante.
– Que cachez-vous dans ce panier ? demanda l'homme.
– C'est notre pauvre mari, répondit Rayon-Bleu-Pâle. Il a tellement fondu qu'il n'est plus qu'une tête.
– Voyons cela de plus près, dit Homme-Bien-Sec.
Il retourna le panier et la tête roula dans la poussière. Elle était horrible, ses gros yeux exorbités roulaient entre ses paupières rouges comme deux galets ronds. Homme-Bien-Sec déclara d'une voix ironique :
– Tu parais bien malade. Il ne convient pas à une tête de vivre sans corps. Je vais te construire une hutte à sudation. Peut-être qu'à force de transpirer tu reprendras une forme plus convenable.
En réalité, Homme-Bien-Sec n'ignorait pas que les deux vieilles étaient des jeunes filles et il voulait punir Homme-Gluant pour sa cruauté. Il construisit donc une cabane très solide aux épais murs de pierre. Puis, à l'intérieur, il disposa de gros cailloux chauffés à blanc.
– Mettez votre bon mari sous cet abri, dit-il aux deux femmes.
Elles placèrent la tête au centre de la cabane et Homme-Bien-Sec roula un rocher pour en fermer hermétiquement l'entrée.
Bientôt, les cris d'Homme-Gluant passèrent à travers le toit.
– Sortez-moi d'ici, il y fait bien trop chaud !
Homme-Bien-Sec et les femmes continuèrent à parler comme si de rien n'était. La tête hurla à nouveau :
– J'ai assez transpiré ! Sortez-moi de cet endroit ou je vais faire un malheur !
Homme-Bien-Sec cria à son tour :
– Aucune tribu ne voudrait d'une tête sans corps ! Patiente encore un peu, Homme-Gluant ! Quelque chose me dit qu'avant un an, tu seras présentable !

Dans la cabane à sudation, la tête devint toute rouge. Et soudain, mue par une force irrésistible, elle se mit à voler à travers la hutte, ricochant contre les parois. La cabane trembla de partout, mais la pierre qui constituait ses murs était si dure que la tête éclata finalement sur l'un d'eux.
– Je n'entends plus rien, remarqua Homme-Bien-Sec. Pourvu qu'il ne soit rien arrivé de grave à votre pauvre mari.
Tous trois entrèrent dans l'abri. La tête avait disparu. À sa place, le corps d'Homme-Gluant gisait, mort, sur le sol. Ils placèrent le cadavre sur un bûcher et le brûlèrent.
Quand le corps fut entièrement consumé, Homme-Bien-Sec invita les deux sœurs sous sa hutte et leur prépara un repas.
– Oh non ! pas de viande ! s'écria l'aînée. Nos dents usées ne pourraient pas la mâcher. Notre défunt mari ne nous donnait que du foie.
Homme-Bien-Sec répliqua :
– Mangez donc ce morceau d'ours et vous verrez bien ce qu'il adviendra de vos dents.
À mesure qu'elles mangeaient, leur jeunesse revenait. Les haillons se changeaient en jolies robes, les cheveux noircissaient et s'épaississaient, les écorces racornies se transformaient en de somptueux bijoux de fruits secs.
Quand elles eurent repris leur apparence normale, Homme-Bien-Sec déclara :
– Je savais bien que vous étiez des jeunes filles. Si cela ne vous dérange pas de vous marier une seconde fois, j'accepte de devenir votre époux.
Les deux sœurs se marièrent avec Homme-Bien-Sec. Elles furent très heureuses avec lui.

Depuis lors, chez les Indiens Modock, les filles préfèrent suivre les conseils de leurs parents plutôt que d'épouser un homme rencontré par hasard.

LE COYOTE INDIGNE

ILLUSTRÉ PAR MURIEL KERBA

LÉGENDE DE LA TRIBU DES CATO

6 MINUTES

POUR NE PAS ASSUMER SA FAMILLE

À cette époque, les coyotes ne vivaient pas en solitaires comme aujourd'hui. Ils habitaient avec femmes et enfants. L'un d'eux, au temps jadis, demeurait sous une tente avec son épouse, son fils et sa fille. Le père de cette petite famille était si mal organisé qu'il n'arrivait pas à pourvoir à la subsistance des siens.

On était alors à la Lune-où-la-Neige-Entre-dans-les-Tipis. Il faisait si froid que les aiguilles des sapins ne tenaient plus aux branches. Le givre recouvrait la lune, et le soleil était parti depuis longtemps vers un meilleur endroit. La provision de bois était épuisée dans la tente du coyote.

Sa femme, malade, avait dû s'aliter. Les enfants grelottaient de fièvre.

La femme dit à son mari :

– Sors chercher des branches, sinon, nous allons tous mourir de froid.

Le coyote grogna mais néanmoins sortit du tipi. Dehors, il trouva du bois sec. Il songea : « Les femmes sont bien sottes. Pourquoi la mienne n'a-t-elle pas rentré ces branches ? »
Il s'en empara et les jeta sur le feu. Mais il s'agissait de l'Arbre-Malodorant. Une si mauvaise odeur se dégagea de la fumée que la femme dut se lever pour éteindre le feu. Puis elle prit la décision d'aller elle-même chercher du bois. Elle emmena avec elle ses deux petits et trouva un arbre abattu. Elle s'apprêtait à le débiter, quand elle aperçut un cerf pris dans la neige jusqu'au poitrail. La femme attrapa le cerf par la queue et cria à ses enfants :
– Allez vite chercher votre père et dites-lui que je tiens un cerf.
Les enfants se précipitèrent vers le tipi et dirent au coyote :
– Vite, notre mère a besoin de toi ! Elle a attrapé un cerf et il faut que tu le tues.
– Dites à votre mère que j'arrive, le temps de prendre mes armes.
Les enfants partirent en courant. Le coyote se rendit tranquillement dans la forêt, coupa trois bâtons, revint dans sa tente et se confectionna un arc et deux flèches.
Mais au moment de s'en aller, il s'aperçut que les courroies de ses raquettes à neige étaient cassées. Il en coupa d'autres dans un morceau de peau et les remplaça.
Ensuite, il pensa : « Tout ce travail m'a donné faim. » Alors, il dévora les baies séchées que sa femme gardait précieusement dans une boîte en écorce. Enfin, il partit.
La femme agrippait encore le cerf. Le coyote lui cria :
– Prends patience, j'arrive !
Il visa le cerf et cria à nouveau à l'adresse de sa femme :
– Je suis prêt, lâche-le !
La femme libéra la queue de l'animal.
Le cerf sauta hors de son trou, se mit à courir et tomba dans un grand creux neigeux au moment où le coyote laissait filer son trait. La flèche passa au-dessus de l'animal sans l'atteindre.

Le coyote plaça alors sa deuxième flèche sur son arc et tira une seconde fois. Mais à cet instant précis, le cerf sauta du trou et le dard passa sous son ventre. N'ayant plus de flèche, le coyote ne put que regarder s'enfuir le cerf.

La femme prit ses deux enfants sur son dos et dit :

– Mon époux est un incapable. J'ai faim et je retourne au tipi.

Mais son mari avait mangé toutes les baies, aussitôt elle s'écria :

– C'en est trop, je préfère m'en aller !

Elle prit sa fille avec elle et laissa le garçon à son époux.

Resté seul avec son fils, le coyote lui dit :

– Ne pleure pas. Ta mère reviendra lorsqu'elle aura faim. Elle ne peut pas errer seule dans cette contrée.

Mais la femme ne reparut pas.

Après plusieurs jours, le père dit à son enfant :

– Nous allons suivre les traces du cerf que ta mère a laissé échapper.

En chemin, ils trouvèrent un barrage de castors. Le coyote entreprit de démolir la digue afin d'avoir accès à la maison des Petits-Hommes-de-la-Forêt. Lorsque l'eau du lac baissa, l'un d'eux sortit. Le coyote le tua et pénétra sous la hutte pour avoir les autres. Toutefois, ceux-ci rusèrent. Ils se mordirent les lèvres et firent les morts. Le coyote les porta sur la berge et dit à son fils :

– Regarde, ces castors sont morts de frayeur en me voyant. Nous allons les faire cuire, mais avant, allons chercher du bois.

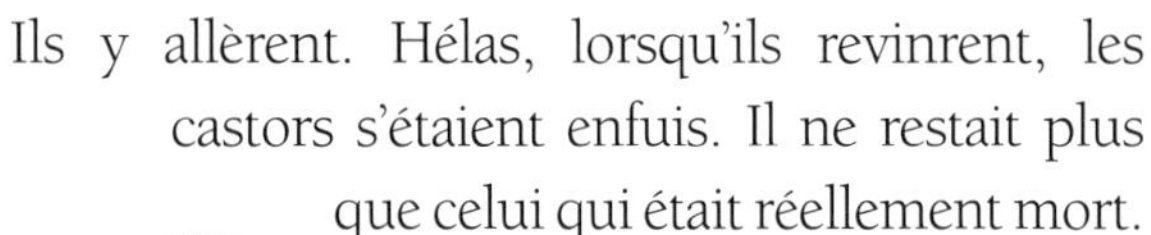

Ils y allèrent. Hélas, lorsqu'ils revinrent, les castors s'étaient enfuis. Il ne restait plus que celui qui était réellement mort. Le coyote l'embrocha et le posa au-dessus du feu. Lorsqu'il fut à point, il le découpa. Alors, le coyote prit pour lui les meilleurs morceaux et tendit à son fils les parties les plus coriaces.

Puis il s'arrangea pour manger plus vite que l'enfant, et quand il eut fini de manger sa part, il aida le petit à terminer la sienne.
Durant la nuit suivante, le fils du coyote mourut de froid et de faim. Son père le laissa sans sépulture sous une mince couche de neige et partit seul.
Il arriva finalement dans un étrange village. Pas une âme n'était en vue et tout semblait désert. Cependant, parmi les tentes de ce village, le coyote trouva sa femme.
Il lui demanda :
– À part toi, il n'y a personne ici. Que fais-tu en un pareil endroit ? Pourquoi n'es-tu pas revenue dans notre tipi ?
– Ici j'ai chaud et je n'ai plus faim. Où est notre fils ?
– Il est mort en route. Cet enfant n'était guère résistant. Et toi, qu'as-tu fait de notre fille ?
– Elle a beaucoup grandi durant ton absence, maintenant elle est mariée. Son époux prend grand soin d'elle.
La femme donna à manger à son mari.
Il remarqua :
– Quelle nourriture bizarre vous absorbez dans ce village !
– C'est celle que les chasseurs d'ici nous offrent chaque jour.
À la fin du repas, la femme demanda à son mari :
– Dorénavant, as-tu l'intention de rester avec nous ?
– La chère est bonne et le tipi est confortable.
– Dans ce cas je dois te prévenir, les gens de ce village ne sont pas des coyotes.
– Qui sont-ils alors ?
– Ce sont des hommes. Ils vont d'ailleurs bientôt rentrer.
À ces mots, un long frisson parcourut le coyote. Il sortit sans mot dire. Un vent froid secoua le cuir de la tente. Alors, terrorisé à la pensée de rencontrer un homme, le coyote détala à perdre haleine.

JEUX DE MAINS, JEUX DIVINS

LE VOYAGE AU BOUT DU MONDE

ILLUSTRÉ PAR MURIEL KERBA

LÉGENDE DE LA TRIBU DES ONONDAGA

13 MINUTES

POUR COMBATTRE LES MAUVAIS ESPRITS

Du temps où la terre était jeune, à l'endroit où le soleil se lève, vivait un jeune homme doté de pouvoirs étonnants. C'était Homme-qui-Va. Il rassembla les gens d'un village et leur dit :

– Je pars vers l'ouest sur le sentier de la guerre. Seuls les jeunes guerriers peuvent m'accompagner car les batailles seront rudes. Ensemble nous récolterons une si grande gloire qu'elle rejaillira sur notre tribu. Ceux qui veulent me suivre doivent se faire à l'idée d'abandonner leurs parents et même de perdre leur propre vie au cours du voyage. Le chemin sera long et aucun obstacle, aucun danger ne m'écartera de mon but.

Après avoir choisi les jeunes les plus braves, Homme-qui-Va partit en direction de l'ouest.

Les Onondaga marchèrent durant toute une lune et parvinrent dans une grande plaine jonchée d'ossements humains.
– Attention ! Ici se cache un dangereux ennemi, annonça Homme-qui-Va. Effaçons nos traces derrière nous et progressons avec prudence.
À la vue des nombreux squelettes, les Braves hésitaient.
Un oiseau piqua vers la troupe et vint se poster devant Homme-qui-Va. Celui-ci l'interrogea :
– Dis-moi un peu, toi qui vis dans cette contrée, d'où viennent ces ossements ?
– Fuyez pendant qu'il est temps, répondit l'oiseau, c'est ici le pays d'un homme terrible nommé Owisondeyon, autrement dit Long-Talon. Personne n'a jamais pu fouler ses terres sans mourir. Vos flèches se briseront contre son costume de pierre. De plus, il porte un dard au talon avec lequel il transperce ses victimes…
Homme-qui-Va se tourna vers ses jeunes Braves :
– Voici enfin un ennemi à notre taille. Nous n'allons en faire qu'une bouchée.
C'est alors que Long-Talon surgit entre deux arbres. Il était horrible. Son corps était entièrement couvert d'écailles de silex.
– Séparez-vous et encerclez-le ! cria le chef. Lancez vos lassos de cuir cru et attachez ce drôle aux arbres.
Quand Long-Talon fut immobilisé, Homme-qui-Va extermina le méchant homme en lui tirant une flèche dans l'œil et lui prit son scalp.
Hélas, deux guerriers avaient été tués d'un coup de dard.
Et la troupe reprit la piste. Le plus vaillant portait le scalp de Long-Talon au bout d'un bâton.
Sur leur passage, les loups voyaient comment les Onondaga combattaient la méchanceté.
La piste devint dangereuse en abordant un marécage. Des centaines de serpents attendaient les Onondaga.
– Enveloppez vos jambes d'écorce ! conseilla Homme-qui-Va.
Ce dernier saisit alors un serpent et lui demanda :

– Pourquoi vivez-vous ici en si grand nombre ? Qui protégez-vous donc ?
Sous la pression des doigts qui lui serraient le cou, le serpent fut bien obligé de répondre :
– Nous protégeons Hodaneya. Ce nom signifie dans notre langue Celui-dont-le-Bras-est-un-Gourdin. Notre maître ne permet à personne de passer par ici.
À ces mots, des boules de serpents attaquèrent de partout. Les Onondaga durent incendier les herbes sèches pour s'en débarrasser.
Alors, dans un grand fracas, Celui-dont-le-Bras-est-un-Gourdin sortit d'un marais. Ses bras en forme de massue faisaient éclater les branches des arbres et voler les feuilles autour de lui. Il était abominable !
Les flèches des Onondaga sifflèrent et le monstre en bois se retrouva tout hérissé de dards, tel un porc-épic. Homme-qui-Va hurla :
– Nos flèches ne percent que son écorce. Mettons plutôt le feu à ce vilain bonhomme, il ne doit pas avoir très chaud dans ce marais.
Les Braves incendièrent le géant qui tomba bientôt en cendres. Homme-qui-Va lui prit son scalp et donna l'ordre de reprendre la piste. Malheureusement, plusieurs guerriers avaient encore succombé dans ce combat.
Les Onondaga marchèrent très longtemps sans rencontrer un village.
– Nous devons avoir franchi les terres où vivent les Indiens, dit un Brave.
Soudain, une lance déchira l'air et vint blesser un Onondaga.
– D'où vient-elle ? s'étonna Homme-qui-Va qui ne voyait personne alentour.
Une autre lance se ficha en terre. Puis une pluie de dards s'abattit sur les guerriers. On aurait dit qu'ils tombaient des nuages.
– C'est étrange, fit le chef. Vite, fabriquons des boucliers pour nous protéger !
Au plus fort de l'orage, Homme-qui-Va ramassa une lance et la fixa méchamment.
– Qui t'a lancée ? Réponds, sinon je te brise en deux !

– C'est notre chef Owendonna, répondit la lance. Son nom veut dire : Une-Seule-Côte. Toutes ses côtes sont soudées ensemble pour ne former qu'un seul os. Il jouit ainsi d'une armure invulnérable. Fuyez avant qu'il ne vous écrase.
– C'est ce que nous allons voir, s'écria Homme-qui-Va. Où se cache ce prétentieux que je lui souffle dans le nez ?
Des lances jaillirent encore mais elles vinrent se planter dans les boucliers.
Un homme affreux apparut. Sa poitrine disparaissait entièrement derrière un long os. Le combat s'engagea aussitôt. Durant tout un quartier de lune, les Onondaga reculèrent sous les charges de l'ennemi. Puis, durant le quartier suivant, ils reprirent le terrain perdu. Enfin, Homme-qui-Va fracassa la poitrine d'Une-Seule-Côte avec le scalp de Celui-dont-le-Bras-est-un-Gourdin qui possédait un grand pouvoir. Mais quatre Onondaga étaient morts dans ce combat.
Et la troupe repartit. Le chemin était maintenant couvert de rocaille. Les Onondaga arrivèrent devant une haute montagne ; sur son flanc béait une immense caverne. Un être bizarre gardait l'entrée. Suspendu à une racine, il ressemblait à une outre gonflée. Cet être affreux était complètement dépourvu d'os. À la vue des Onondaga, la chose molle se mit à chanter :
– Retournez sur vos pas, petits hommes. Personne ne peut entrer ici.
Homme-qui-Va s'avança :
– Voilà qui est nouveau pour nous. Et dis-nous qui est ton maître, Homme-Peau. Sinon, ce tomahawk aura vite fait de te dégonfler.
L'outre trembla.
– C'est un géant qu'aucune arme ne peut blesser. Écoutez mon conseil, retournez sur vos pas !
Les Onondaga passèrent outre. Plus loin, ils découvrirent des empreintes de pieds si énormes qu'un bison aurait tenu dedans.
– Un nain vit ici, brava Homme-qui-Va. Venez ! Escaladons la montagne qui se présente devant nous !
Mais malgré leur courage, ils durent y renoncer, tant elle était haute.

Alors, ils s'aperçurent qu'il ne s'agissait pas d'une montagne mais bien du géant dont avait parlé la chose molle.
Sans hésiter, Homme-qui-Va lança l'attaque. Les Onondaga eurent beau tirer des flèches et cogner sur le géant avec leurs massues, les coups restèrent sans effet. L'autre dormait comme une marmotte.
Les Braves restaient indécis. Le géant se réveilla enfin de lui-même. En s'accoudant, il écrasa quelques Indiens qui s'étaient aventurés trop près. Puis il aperçut les Onondaga.
– Que voulez-vous, vous autres ? Partez ! Vous êtes ici chez moi.
Ayant dit, le géant souffla sur un jeune Brave qui s'envola comme une plume. Le malheureux heurta un arbre avec tant de violence que son corps, sa tête et ses bras pénétrèrent dans l'écorce ; seules ses jambes restèrent dehors. Les jeunes Onondaga, épouvantés, coururent se cacher dans quelque faille de rocher.
Homme-qui-Va les invectiva :
– Sommes-nous venus de si loin pour céder à ce gros tas de pierres ? Sortez de vos trous et imitez-moi !
Homme-qui-Va entonna son chant de guerre. Les autres l'imitèrent et tous chantèrent durant deux lunes. Le chant continu des Braves incita le géant au sommeil, il finit par bâiller et s'endormit.
Dès ses premiers ronflements, le chef déclara :
– Nos armes sont impuissantes contre cette abominable créature. Mieux vaut tourner la difficulté. Personne ne démérite à éviter une trop grosse épreuve.
Ils sortirent prudemment de leur cachette, contournèrent le corps du géant et continuèrent à marcher vers l'ouest. Mais l'Homme-Montagne avait tué plusieurs guerriers.
La petite troupe se heurta à une immense étendue d'eau.
– Voici plus de liquide que nous n'avons envie d'en boire, remarqua Homme-qui-Va. Courage, mes Braves ! Construisons des canoës !
Ils abattirent des arbres, les creusèrent et embarquèrent. Dans les fortes branches, ils avaient fabriqué des pagaies.

Au milieu du lac, une tempête s'éleva. Tous les canoës coulèrent. Sauf un : celui d'Homme-qui-Va et d'un de ses compagnons. Sur la rive opposée, le paysage était totalement différent de celui qu'ils venaient de quitter. Ils arrivèrent enfin là où le ciel s'abaisse pour rejoindre la terre.
– Nous sommes presque au but, remarqua Homme-qui-Va.
Mais les extrémités du ciel et de la terre n'étaient pas immobiles. Elles s'éloignaient l'une de l'autre et se rapprochaient dans un mouvement continuel. Quand cette sorte de grande bouche était ouverte, une lueur aveuglante apparaissait derrière elle.
Homme-qui-Va déclara :
– Nous n'abandonnerons pas si près du but. Nous franchirons ce gouffre au moment favorable. Imite-moi.
Dès que la voûte céleste se sépara de la terre, Homme-qui-Va courut à toutes jambes. Il franchit l'obstacle aisément, d'un seul bond, en fermant les yeux.
Après lui, le jeune Brave prit bien son élan mais il garda les yeux ouverts et il fut aveuglé par la grande lumière. Il trébucha, la bouche de l'horizon se referma et il fut écrasé.
Homme-qui-Va était dans le domaine céleste. Ici la clarté du jour était si vive qu'elle pénétrait jusqu'au fond de son âme. Cette lumière irradiait des fleurs gigantesques qui dépassaient la cime des arbres.
Stupéfait, Homme-qui-Va pénétra dans ce pays irréel et découvrit une vieille femme devant sa hutte. L'apercevant, elle lui dit :
– Entre, étranger. Nous t'attendions, mes petits-enfants et moi.
Les petits-enfants le saluèrent :
– Ah ! Te voici ! Nous pensions bien que tu réussirais à venir jusqu'à nous. Tu peux rester dans notre cabane quelque temps si tu es fatigué.
On lui donna une natte pour se coucher.
Au matin, les enfants réveillèrent Homme-qui-Va :
– Viens avec nous. Tu verras comment nous chassons.
Ils marchèrent beaucoup. Soudain, l'aîné des frères désigna une grotte au bord d'un marais. Une bête immonde s'y reposait.

– C'est un monstre jaune ! Il existe ici beaucoup de mauvais génies. Nous devons veiller à ce qu'ils ne sortent pas de leur caverne. Sinon, ils iraient sur la terre et causeraient de grands ravages.
L'aîné remua son gros orteil. Alors, dans un fracas étourdissant, la foudre et les éclairs frappèrent le monstre jaune et le tuèrent. Les nouveaux amis d'Homme-qui-Va étaient en réalité des Dieux-Tonnants.
Un jour, ils lui dirent :
– Nous devons combattre une mauvaise créature qui habite dans les arbres. Viens avec nous car le combat sera rude. Cet animal possède quatre pattes et une longue queue. Il saute si haut que nous craignons qu'il dévore le soleil.
Arrivés dans la forêt, ils frappèrent contre un arbre pour faire sortir le monstre de sa cachette.
– Voyez, cria Homme-qui-Va, il sort d'entre les feuillages !
Les Dieux-Tonnants firent jaillir les éclairs, les arbres volèrent en éclats, mais le monstre ne fut pas atteint.
Homme-qui-Va vit qu'il s'agissait d'un écureuil noir. Il bondit et le captura.

« Peut-être la vieille femme voudra-t-elle le garder », pensa-t-il.
La vieille femme accepta le présent et dit à ses petits-enfants :
– Voyez : cet homme a réussi où vous avez échoué. Invitez-le à rester ici définitivement, il pourra nous aider quand nous en aurons besoin.
Mais Homme-qui-Va déclina l'offre :
– Je dois poursuivre mon périple, annonça-t-il. Dans ce ciel, il y a autant de méchants que sur la terre et je dois continuer à les combattre.
Et il partit après avoir remercié les Dieux-Tonnants pour leur accueil.

Aujourd'hui encore, les aventures d'Homme-qui-Va parviennent dans la tribu des Onondaga. Et c'est à travers elles que ces Indiens conditionnent leur mode de vie de chaque jour.

POUR ALLER PLUS LOIN

Les Peaux-Rouges honoraient d'innombrables divinités. Ils partageaient la crainte des Mauvais-Esprits et ne s'occupaient guère des bons génies. Rangées en trois catégories, ces créatures irréelles imposaient une ligne de conduite bien précise. Rien ne pouvait émaner de mal du Grand-Esprit puisque lui seul ne se trompait pas. Pourvoyeur en toutes choses, le Créateur atteignait la perfection et son jugement était toujours le bon. Le Peau-Rouge accordait donc au Créateur le droit d'allouer ou de supprimer tel ou tel bienfait. Ainsi l'homme ne réclamait jamais rien à son dieu mais lui faisait constater son dénuement. Il allait même jusqu'à commettre une erreur lors de la fabrication d'un ornement afin de ne pas lui laisser croire qu'il pouvait l'égaler.
En revanche, il fallait se concilier les grâces des méchants. Le Peau-Rouge pliait alors sous les incantations destinées à ces êtres irritables et malfaisants.
Cela explique que, dans de nombreuses légendes, le jeune garçon apprenait, dès son enfance, à combattre les Mauvais-Esprits (souvent à l'aide d'armes magiques, seules capables de vaincre les odieuses créatures aux dons surnaturels).

LA PETITE FILLE ET SES DIX ONCLES

ILLUSTRÉ PAR FABRICE TURRIER

LÉGENDE DE LA TRIBU DES MENOMINEE

9 MINUTES

POUR SE TRANSFORMER EN RAINETTE

Une petite fille s'endormit sous un arbre. Lorsqu'elle sortit de son sommeil, elle ne reconnut pas le paysage. Elle ne savait pas comment elle était venue dans cette nouvelle contrée et ne se souvenait plus de ses parents. La petite fille s'assit... Sur sa droite s'ouvrait un sentier. Elle le prit et marcha très longtemps.

La petite fille arriva enfin devant une longue hutte. Elle eut peur, mais, n'apercevant personne, elle y pénétra. Un feu de bois se consumait au centre de la cabane.

« Des hommes ont mangé ici ce matin », pensa-t-elle.

De longues tranches de viande séchée pendaient des poutres. La petite fille se dit : « De bons chasseurs vivent dans cette habitation. »

Puis, elle découvrit dix lits de branchages alignés contre les murs.

Elle songea : « Comme ils sont grands ! Ils doivent appartenir à dix hommes robustes. »
Alors, la petite fille ramassa du bois, ranima le feu et, décrochant quelques morceaux de viande, elle prépara un énorme et bon ragoût. Pendant que la marmite chantait sur le foyer, elle balaya le sol de terre battue à l'aide d'un rameau de saule.
À la fin de ce long travail, la petite fille se sentit fatiguée. Elle s'allongea sur une couche, tira la couverture en peau d'ours sous son menton et s'endormit.
La petite fille fut réveillée par un vacarme épouvantable. Dix hommes forts entrèrent et l'étonnement les figea sur place.
– Comme notre maison est propre ! dit l'un.
– Qui a ranimé le feu ? dit un autre.
– Qui a préparé ce ragoût ? dit le troisième en lorgnant vers la marmite.
Puis, les hommes s'assirent en cercle sans plus de formalités et mangèrent de bon appétit.
– Cette viande est savoureuse, dit le plus jeune des dix frères.
– Tiens, dit l'aîné, quelqu'un a dérangé ma peau d'ours, elle fait une bosse.
Il s'avança vers le lit et découvrit la fillette.
– Mes frères, venez voir la charmante petite chose qui se cache sous ma couverture.
Les neuf autres se précipitèrent. Apeurée, la jeune enfant aurait voulu fuir, mais elle ne le pouvait pas. Les dix géants l'entouraient.
– As-tu faim ? demanda l'aîné.
– Un peu, répondit timidement la fillette.
– Alors, partage avec nous le bon ragoût que tu as préparé…
La petite fille mangea.
– N'as-tu pas de nom ? s'enquit l'un des frères.
– Je ne m'en souviens plus.
– Eh bien, je vais t'en donner un nouveau. Désormais, tu te nommeras Rayon-de-Soleil.

– N'as-tu pas de parents ? interrogea un autre frère.
– Je pense les avoir perdus.
– Eh bien, nous serons tes oncles. Ainsi nous veillerons sur toi et nous aurons toujours de bons repas à manger quand nous reviendrons de la chasse.
La petite Rayon-de-Soleil eut donc dix oncles grands et forts pour la protéger. Dès lors, elle vécut dans la longue hutte. Chaque matin, les chasseurs partaient et ne revenaient que le soir, toujours extrêmement fatigués. Ils ne portaient jamais de mocassins et cela n'était pas sans étonner Rayon-de-Soleil.
Un beau jour, la fillette les observa entre deux rondins disjoints de la hutte. Et quelle ne fut pas sa stupéfaction ! Sitôt dehors, ses oncles se transformaient en énormes oiseaux, aux ailes immenses, aux becs crochus et aux yeux flamboyants.
« Allons bon ! pensa-t-elle. Voilà que je suis la nièce de dix Oiseaux-Tonnerre ! »
En réalité, les dix frères n'étaient pas des chasseurs, ils partaient au combat chaque matin contre les Mauvais-Esprits de la terre et ne reprenaient leur forme humaine que le soir en revenant à leur maison.
Bientôt, les journées se firent plus froides. Les bécasses et beaucoup d'autres oiseaux partirent vers le soleil du Sud.

Les Mauvais-Esprits y allèrent un peu plus tard et les dix Oiseaux-Tonnerre s'apprêtèrent à les rejoindre.
L'aîné demanda à ses neuf frères :
– Auprès de qui allons-nous laisser notre nièce afin de la retrouver en bonne santé au printemps prochain ?
– Demandons à nos amis ailés de la prendre sous leur protection, avança le cadet.
– Tu as raison. Réunissons nos alliés les oiseaux.
Ce qui fut fait promptement car la triste saison étendait déjà sa patte griffue sur la contrée. Le corbeau proposa le premier :
– Confiez-moi votre parente, ma femme s'en occupera et elle ne mourra pas de faim.
– Non, dit l'aîné. Tu dors où la nuit te surprend. Avec toi, notre nièce pourrait prendre froid.
– Donnez-la-moi, j'ai un bon nid et je suis bon chasseur, dit l'aigle.
– Non, tu bâtis ton aire trop près des nuages. Notre nièce pourrait tomber et se rompre les os.
– Alors, elle sera bien avec moi, dit la poule faisane.
– Non, tu construis ta maison à même le sol et le chacal vient dévorer tes œufs. Ton gîte n'est pas un assez bon refuge pour notre nièce.
– Dans ce cas, ma retraite fera l'affaire, décréta la mésange.
À l'époque, la mésange, plus grande qu'aujourd'hui, n'était pas loin d'être aussi forte que l'aigle.
– C'est d'accord ! accepta l'aîné. Ta hutte est bien douillette et chaude. Tu y gardes des vivres en abondance et notre parente sera bien en ta compagnie. Tu seras sa tante.
Puis, il ajouta à l'intention de Rayon-de-Soleil :
– Si tu as besoin d'aide pendant notre voyage, appelle-nous. Nos oreilles sont des plus fines et nous t'entendrons où que nous soyons.
Et les dix Oiseaux-Tonnerre partirent. Rayon-de-Soleil vécut donc dans la cabane de sa nouvelle tante. Chaque jour la mésange sortait afin d'augmenter sa provision de nourriture.

Un matin, elle dit :
– Je dois aller cueillir des baies avant qu'elles gèlent et se rabougrissent. Prends garde, près d'ici vit un Mauvais-Génie et il ne manquera pas de venir en mon absence. S'il te parle, ne lui réponds surtout pas. Sinon, tu tomberais en sa puissance. Méfie-toi de lui, car cet homme n'en est pas un. Il s'agit du vil Serpent-Velu.
La mésange s'envola et l'homme vint aussitôt après son départ.
Ce méchant génie avait un corps d'homme, une tête de serpent, et tout dans son regard disait sa fourberie.
Il s'installa au foyer comme s'il était chez lui et demanda :
– Ta tante est donc partie ?
La petite fille ne répondit pas et continua à s'occuper du ménage.
– Sais-tu au moins quand reviendront tes oncles ? insista l'affreux bonhomme.
Devant le mutisme de Rayon-de-Soleil, Serpent-Velu ajouta :
– Mon ami l'ours prétend que tes oncles ont les ailes tordues et les pattes toutes molles. Dommage qu'ils ne soient pas ici, j'aurais grand plaisir à leur cracher au nez.
Ne pouvant plus longtemps entendre dire du mal de ses parents, la fillette répondit :
– Pourquoi parles-tu ainsi de mes oncles puisque tu ne les connais pas ?
Mais en prononçant ces mots, la petite fille venait de se placer sous la domination du Mauvais-Génie. Il lui prit la main et l'emmena.
La grincheuse femme de Serpent-Velu attendait son mari devant leur cabane. Lorsqu'elle vit Rayon-de-Soleil, elle la poussa brutalement à l'intérieur. Puis elle lui ordonna d'aller chercher du bois, de l'eau et des racines pour faire cuire la soupe du soir. Au moment du repas, la vieille sorcière répandit des poux sur une peau de renard et dit à la fillette :
– Tiens, voici ton souper.
Le soir, la petite pensa bien fort à ses oncles et murmura :
– Venez vite à mon secours. Je suis tombée dans une drôle de cabane où l'on me fait manger des poux.

L'aîné des Oiseaux-Tonnerre perçut l'appel.
– Avez-vous entendu notre nièce ? s'écria-t-il. Prenez vite vos tomahawks de guerre, nous allons la délivrer !
Et ils partirent à tire-d'aile.
Quand ils survolèrent la hutte, ils poussèrent des cris aigus et frappèrent le toit de leur hache. Alors, les éclairs et le tonnerre se déchaînèrent et la cabane vola en éclats.
Les Oiseaux-Tonnerre trouvèrent leur parente au milieu des décombres et l'emmenèrent. Heureusement, la fillette était saine et sauve.
La mésange, qui avait constaté la disparition de sa protégée, était en larmes. Elle avait tant pleuré qu'elle était devenue toute petite, aussi petite que nous la connaissons aujourd'hui.
– Cesse de te morfondre, dit l'aîné des oiseaux. Nous avons sauvé notre nièce, mais nous ne la laisserons plus jamais sous ta garde, tu es bien trop étourdie.
Puis, les dix oncles s'assirent en cercle et tinrent conseil sur ce qu'il convenait de faire de l'enfant.
Le cadet dit :
– Changeons notre nièce en grenouille et cachons-la près de cette mare, au milieu des joncs. Lorsqu'elle coassera, nous l'entendrons et nous accourrons du sud ou de l'ouest.
Ils firent ainsi et Rayon-de-Soleil devint une petite rainette.

C'est pour cela que la grenouille chante au début du printemps, aux environs de la Lune-des-Aigles. Elle appelle ses oncles les Oiseaux-Tonnerre. Ceux-ci arrivent avec l'orage qu'accompagnent tonnerre et éclairs. Ainsi va la vie, et pour tous elle est bonne.

LE BON GÉNIE DU LAC

ILLUSTRÉ PAR MURIEL KERBA

LÉGENDE DE LA TRIBU DES KUTENAI

9 MINUTES

POUR DEVENIR UN BON GÉNIE

L'affaire débuta un hiver, à cette époque où le soleil fourbu coupe les aiguilles des sapins pour s'en faire un lit moelleux et se coucher plus tôt.

Une jeune Indienne se rendit au bord du lac afin d'y puiser de l'eau. Il faisait froid et elle dut casser la glace. Ce dur travail lui donna très soif. Elle se pencha au-dessus du trou pour se désaltérer, mais une main la saisit par le cou et l'entraîna vers les profondeurs.

L'Indienne pensa : « Je vais mourir. »

Et elle ferma les yeux.

Cependant, elle s'aperçut qu'elle respirait normalement. Elle ouvrit les paupières et vit qu'elle se trouvait dans un beau tipi. Un homme était à côté d'elle. Ce Brave l'épousa sans cérémonie.

Ainsi elle vécut sous l'eau. En été, elle donna naissance à un enfant. Son père voulut lui donner un nom qui lui convînt aussi bien sur terre que dans l'eau. Il le nomma donc Terre-et-Eau.
Le père de Terre-et-Eau s'appelait Pierre-Blanche. Il était si bon qu'on voyait son cœur battre à travers ses côtes. Il avait un frère qui portait le nom de Pierre-Grise. Pierre-Grise poussait des colères terribles et son cœur résonnait comme si des cailloux s'entrechoquaient dans sa poitrine.
Pierre-Grise supportait mal les cris du nouveau-né, aussi envoya-t-on le bébé chez sa grand-mère. Il marcha très longtemps. Parvenu devant le tipi de la vieille, il n'osa pas entrer. Il était si jeune qu'il n'avait pas encore vu beaucoup d'êtres humains. Sa grand-mère l'effraya et il rebroussa chemin.
De retour chez lui, sa mère s'étonna.
– Ma grand-mère dormait, expliqua-t-il. Elle est très vieille et j'ai eu peur.
Il fut décidé qu'il y retournerait le lendemain.
Quand la vieille s'éveilla, elle vit les traces de pas devant son tipi et s'écria :
– Oh ! l'enfant de mon fils est venu et j'étais endormie. Je ne sais même pas si c'est un garçon ou une fille.
Le jour suivant, elle fabriqua un arc, tressa un panier et les posa devant son tipi. Puis elle s'allongea et fit semblant de dormir. Terre-et-Eau arriva et choisit de jouer avec l'arc. La vieille ouvrit un œil et constata :
– C'est donc un garçon ! Ma foi, il est bien beau.
Alors elle étendit une jolie peau de loutre à côté de sa propre couche et fredonna une chanson magique :

Repose ta tête sur cette fourrure.
Le soir disperse le pollen des fleurs
Et le jette dans tes yeux.
Demain le jeune cerf gambadera dans la forêt.
Viens respirer l'odeur de ta grand-mère.
Mes mains borderont ta couverture.

L'enfant entra, posa sa tête sur la peau de loutre et s'endormit. À partir de ce moment, il resta auprès de sa vieille grand-mère.

Terre-et-Eau grandissait. Bientôt, les petites flèches ne lui suffirent plus, il en réclamait toujours de plus puissantes à sa grand-mère.
La vieille finit par lui dire :
– Maintenant que te voilà un jeune Brave, il te faudrait de bonnes flèches.
– Avec quel bois les fabrique-t-on, Grand-Mère ?
– Avec l'Arbre-qui-Donne-les-Baies-en-Juin. Il pousse sur une montagne : là où vit aussi l'ours gris. Quand un Indien se hasarde en cet endroit, l'ours le tue. Ce « courte queue » est un gros paresseux, mais les marmottes montent pour lui une garde vigilante.
Terre-et-Eau ne put y résister. Il sortit du lac et prit le chemin de la caverne de l'ours. Lorsqu'il aperçut les marmottes, il fredonna la chanson magique de sa grand-mère. Les marmottes s'endormirent.
Alors, Terre-et-Eau coupa des branches de l'arbre et en lança de pleines brassées dans le lac :
– Maintenant, nous ne serons plus obligés de monter jusqu'ici pour faire des flèches avec ce bois.
Il conserva quelques branches pour lui et descendit de la montagne.
L'ours faisait la tournée de son territoire.

À son retour, il vit son arbre saccagé et demanda aux marmottes :
– Qui est venu voler mon bois ?
– Nous n'en savons rien ! répondirent-elles. La neige est tombée et ses cristaux nous ont fermé les yeux.
– Attendez un peu. Je vais régler son compte au chapardeur, ensuite je m'occuperai de vous.
Furieux, l'ours entra dans sa caverne, endossa son gros manteau de fourrure grise, mit ses gants à longues griffes et partit sur les traces de Terre-et-Eau. Se sachant poursuivi, le jeune Brave courut se réfugier sous le tipi de sa grand-mère. Il pensa :
– Si mauvais que soit cet ours, mon oncle Pierre-Grise l'est certainement plus que lui.
Pour forcer Pierre-Grise à combattre l'ours, il lui déclara :
– Mon oncle, l'ours dit que tu n'es qu'un grand bavard. Il veut te montrer du doigt à tout le monde…
Les cailloux s'entrechoquèrent dans le cœur de Pierre-Grise. Mais comme il ne bougeait encore pas, Terre-et-Eau ajouta :
– Il dit aussi qu'il te crachera au visage et qu'il te couvrira d'immondices.
Pierre-Grise se mit à bouillir comme un volcan. Il hurla :
– C'en est trop ! Où est ce mal élevé que je lui apprenne les bonnes manières ?
Terre-et-Eau le mena devant l'ours.
– Ah, te voici ! rugit l'oncle. Je vais t'exterminer.
Le « courte queue » se posta sur son gros derrière et répliqua :
– Ce Terre-et-Eau est un médisant. Je vais le croquer.
Et il bondit en direction du jeune Brave qui se tenait auprès d'un arbre. Or, quand il veut mordre, l'ours gris ferme toujours les yeux. Terre-et-Eau s'effaça et le plantigrade mordit l'écorce de l'arbre.
– Terre-et-Eau est trop coriace, déclara-t-il. Je vais plutôt manger Pierre-Grise.
À ces mots, Pierre-Grise bomba la poitrine et tout son corps éclata en une multitude de morceaux de silex tranchants.

L'ours fut atteint au ventre et en mourut. Pierre-Grise rassembla ses morceaux épars et se reconstitua.
Il dit à Terre-et-Eau :
– Maintenant, il faut que je me lave. Vois, il a sali mon beau costume de guerre.
Le jeune Brave enleva à l'ours son manteau gris et alla l'offrir à sa grand-mère. Mais il garda pour lui les gants ornés de griffes.
Avec le bois de l'Arbre-qui-Donne-les-Baies-en-Juin, Terre-et-Eau se fit un arc d'homme. Puis, il demanda à la vieille :
– Sais-tu si d'autres êtres humains vivent dans ce pays ?
– Oui, vers le nord il y a un village. Mais il ne faut pas y aller car le chef est un mauvais homme.
Terre-et-Eau s'y précipita… Il arriva de nuit.
Dans la première tente du village, il trouva une femme très maigre. Le jeune Brave lui déclara :
– J'ai fait un long chemin, j'ai faim et j'ai soif !
– Je ne puis rien t'offrir, dit la femme. Le chef garde la nourriture et l'eau sous son tipi et refuse de nous en donner.
Terre-et-Eau se rendit chez l'égoïste et lui dit :
– J'ai appris que ton garde-manger était bien garni, aussi je suis venu souper avec toi.
Le chef répliqua :
– Tu es bien hardi, étranger ! Ici, celui qui veut manger et boire doit d'abord se battre avec moi.
– Alors, battons-nous ! décida le jeune Brave.
Il enfila les gants griffus qu'il avait pris à l'ours et le combat s'engagea…
Le chef tenait sa puissance des ténèbres. Terre-et-Eau brandit un rayon de lune qui éclaira toute la clairière. Alors le chef saisit une énorme massue et en asséna de vigoureux coups sur la tête du jeune Brave. Celui-ci le regardait faire en riant.
Voyant cela, le chef déracina un gros chêne en s'exclamant :
– Avec ce gourdin, je vais t'écraser !

Terre-et-Eau griffa l'arbre avec son gant et en fit de la poussière de bois.
La lutte dura toute l'année. Et plus le combat s'éternisait, plus les forces maléfiques du chef décuplaient.
Un matin, le chef aspira deux gros nuages noirs et les souffla à la face de Terre-et-Eau. Celui-ci vola dans les airs comme une feuille sèche et tomba mort dans le lac. Pierre-Blanche, le père de Terre-et-Eau, prit la forme du poisson-éclair et se précipita sur les lieux. Le jeune homme flottait entre deux eaux. Le poisson-éclair lui mordilla les pieds ; Terre-et-Eau se réveilla et demanda :
– Pourquoi me grignotes-tu ? Veux-tu me dévorer, par hasard ?
– Non ! Je voulais seulement te ressusciter afin que tu puisses retourner sur la terre pour y tuer le méchant chef avec ta flèche magique. Essaie de l'atteindre au petit doigt de sa main gauche.
Le Brave remercia le poisson-éclair et bondit hors de l'eau.
Le chef se reposait, assis sur une souche pourrie. Terre-et-Eau, couvert de sang, se dressa devant lui et tira une flèche qui l'atteignit à l'endroit désigné par son père poisson. Le mauvais homme mourut aussitôt.
Toute sa vie était cachée sous l'ongle de ce doigt. Et cela, Pierre-Blanche le savait !
Les gens du village vinrent remercier Terre-et-Eau qui leur dit :
– Vous voilà débarrassés d'un méchant. Offrez vos cœurs à la terre et à l'eau, et vous n'aurez plus jamais faim ni soif.
Terre-et-Eau devint un bon génie. Il retourna dans sa famille et vécut très honoré.

QUAND DEUX-JONCS PRIT FEMME

ILLUSTRÉ PAR FABRICE TURRIER

LÉGENDE DE LA TRIBU DES CHINOOK

6 MINUTES

POUR RESSUSCITER SA FEMME

Dans un village, en bordure du Pays-des-Esprits, la fille du chef était malade. Son père appela le sorcier. Celui-ci resta enfermé toute la nuit avec la jeune fille. Au matin, il déclara au père :
– J'ai conversé avec l'âme de ta fille. Elle a décidé de prendre le sentier de gauche, là où le chemin bifurque en haut de la montagne. Ta fille mourra donc. Nous devons respecter sa volonté, et il n'est plus en mon pouvoir de la sauver. J'ai dit !
On peignit la malade aux couleurs de la mort : un trait noir sur le front et des cercles blancs autour des yeux. Et la fille mourut.
Dans le même village habitait un jeune homme. Il était si mince et ses jambes si maigres que tout le monde l'appelait Deux-Joncs.
Deux-Joncs vivait misérablement dans une pauvre hutte avec sa mère.

Sa sœur venait de mourir et le jeune homme s'ennuyait.
Il dit à sa mère :
– J'ai décidé de prendre femme.
– Interroge les vieilles du village. Peut-être l'une d'elles acceptera de t'épouser.
– Je ne veux pas d'une vieille, mais d'une jeune et jolie femme. De préférence une fille de chef.
La mère haussa les épaules.
Pendant la nuit, Deux-Joncs se glissa jusqu'à l'échafaud funéraire [1] où avait été placée la défunte fille du chef et s'empara du cadavre. Le jeune homme marcha vers le sud avec son sinistre fardeau. Il ne lui fallut pas moins de deux jours pour atteindre le grand fleuve. Sur l'autre rive, un grand bonhomme fumait sa pipe assis sur une grosse pierre.
– N'est-ce pas Deux-Joncs que j'aperçois là-bas ? Il me semble qu'il porte sa sœur sur son dos.
– Ce n'est pas ma sœur mais ma femme ! cria le jeune homme. Elle est morte et je la porte chez les Esprits afin qu'ils la ressuscitent. Fais-moi traverser.
« Peut-être est-ce sa sœur et il dit que c'est sa femme », pensa le grand bonhomme.
Toujours est-il qu'il écarta les jambes, posa un pied sur chacune des rives et aida Deux-Joncs à franchir le fleuve. Le jeune homme put donc poursuivre son pénible voyage.
Il arriva enfin au Pays-des-Esprits.
– Regardez, vous autres. Voilà le pauvre Deux-Joncs, il porte sa sœur sur son dos.
– Il ne s'agit pas de ma sœur mais de ma femme. Elle est morte et je vous l'amène pour que vous la fassiez revivre.
– Depuis quand est-elle morte ?
– Cela fait trois jours.

1. Échafaud funéraire : certaines tribus indiennes n'enterrent pas leurs morts. Elles les déposent sur de hauts bâtis de bois où ils se dessèchent.

– Alors, va plus loin, à l'autre pays où ils ressuscitent les gens qui sont morts depuis trois jours. Ici, nous ne nous occupons que des morts de la veille.

Deux-Joncs reprit le cadavre, se remit en marche, et arriva le lendemain dans un autre village.

– Ma pauvre femme est morte, se lamenta Deux-Joncs.

– Tu veux dire ta sœur ?

– Non, il s'agit de ma femme. Je viens pour que vous la fassiez revivre.

« Il dit sa femme en parlant de sa sœur, songea un Esprit. Comment une fille aussi jolie et si jeune aurait-elle accepté d'épouser le pauvre Deux-Joncs ? »

Un autre Esprit interrogea :

– Depuis quand est-elle morte ?

– Cela fait maintenant quatre jours.

– Alors, va plus loin, au pays où ils ressuscitent les gens morts depuis plus de quatre jours. Ici nous ne le faisons que pour ceux qui sont décédés depuis trois jours seulement.

Deux-Joncs marcha encore, portant le cadavre de la fille du chef. Il atteignit enfin le troisième village.

– Tiens, voici le pauvre Deux-Joncs. Il porte assurément sa sœur sur son dos.
– Ce n'est pas ma sœur mais ma femme. Je viens vous demander de la ressusciter.
Incrédules, les Esprits examinèrent la morte.
– Mais, il dit vrai. Il s'agit de la fille du chef de la tribu des Chinook.
L'un d'eux dit à Deux-Joncs :
– Reste ici, nous allons voir ce que nous pouvons faire pour elle.
Comme les traits de la jeune fille commençaient à se creuser, les Esprits lui rendirent sa fraîcheur en la lavant avec de l'eau claire. Puis ils oignirent son corps afin de lui faire perdre son odeur de cadavre. Ensuite, ils la baignèrent dans de l'eau de mer.
Alors, le cœur de la jeune fille se remit à battre, et elle revint à la vie.
Deux-Joncs remercia les Esprits et s'en alla avec la fille du chef. Ils s'épousèrent et vécurent heureux en bordure d'une forêt.
Cependant, la jeune femme éprouva le désir de revenir dans son ancien village. Deux-Joncs l'emmena donc et l'installa dans la maison de sa mère.
Un matin, le fils du chef vint à passer par là. Il entendit une voix de femme dans la hutte de Deux-Joncs. Ce n'était pas la voix chevrotante de sa vieille mère mais plutôt celle d'une jeune femme. Intrigué, il risqua un œil entre deux branches disjointes de la cabane. Effaré par ce qu'il avait vu, il revint chez son père en criant :
– Ma sœur n'est pas morte ! Elle vit dans la hutte de Deux-Joncs !
Le chef crut que son fils était devenu fou et il le secoua dans l'espoir de lui faire recouvrer la raison. Mais son fils continua à dire :
– J'ai vu ma sœur. Elle est vivante, elle parlait avec Deux-Joncs et sa mère.
Le père ne le crut pas. Néanmoins, par acquit de conscience, il se rendit dans la cabane qu'habitait Deux-Joncs.
En entrant, il vit sa fille.
– Comment se fait-il qu'elle soit là ? interrogea-t-il.

Deux-Joncs sourit.
– N'est-il pas normal qu'une femme vive auprès de son mari ?
– Mais, ma fille n'était-elle pas morte ?
– N'est-il pas normal qu'une femme revive après avoir été ressuscitée ?
Fou de rage de voir sa fille avec Deux-Joncs, le chef leva son casse-tête et l'abattit sur le crâne du jeune homme. Au moment où Deux-Joncs tomba mort, la fille du chef mourut en même temps que lui.
Regrettant aussitôt son geste, le père de la jeune femme dit au cadavre de Deux-Joncs :
– Réveille-toi et garde-la puisque tu l'as épousée. C'est ton beau-père qui t'en conjure.
Deux-Joncs reprit quelque couleur et revint à la vie.
Hélas, dès qu'il vit sa femme morte, il poussa un cri perçant. Puis, Deux-Joncs se transforma soudain en geai bleu et s'envola vers les grands arbres.
– Reviens ! lui cria le chef. Nous avons encore besoin de toi pour ressusciter ma fille.
Le chant d'un geai parvint dans la hutte. Il disait :
– Un geai bleu n'est pas assez fort pour transporter une femme jusqu'au Pays-des-Esprits.
Et la fille du chef resta morte.

LES DEUX FILLES ET LE MAUVAIS-ESPRIT

ILLUSTRÉ PAR MURIEL KERBA

LÉGENDE DE LA TRIBU DES CADDO

4 MINUTES

POUR VAINCRE LE SERPENT

Au début des temps, le Grand-Esprit n'avait mis que trois personnes sur la terre : une mère et ses deux filles. La cadette était vierge et l'aînée attendait un enfant.

Un jour, les deux sœurs décidèrent d'aller se baigner dans le lac. Sur la berge, elles se déshabillèrent et, lorsqu'elles furent entièrement nues, un énorme serpent sortit des broussailles.

– Tiens, voici le vieux qui habite dans les rochers, dit l'aînée. C'est gentil à lui de nous rendre visite.

Le serpent gronda :

– Je ne viens nullement vous saluer, mais vous dévorer !

Ce monstre s'appelait Caddaja. Il avait très mauvaise réputation et les filles eurent peur.

Pendant que l'affreuse créature se jetait sur sa sœur, la cadette monta sur la grosse branche d'un orme. Ayant avalé l'aînée, Caddaja voulut grimper à l'arbre.
– Ta sœur était trop maigre ! s'écria le monstre. J'ai encore faim !
Mais les écailles de son ventre glissaient sur l'écorce de l'orme. Si bien qu'après avoir monté une fois de sa hauteur, il redescendait de deux.
– Ce n'est rien, déclara-t-il. Tu ne perds rien pour attendre, je vais abattre cet arbre !
Avec les cornes acérées de son front et ses puissantes griffes, il entreprit de taillader le bois. Comme l'arbre commençait à plier, la jeune fille sauta de sa branche et plongea dans le lac. Elle nagea si longtemps sous l'eau qu'elle fit le tour de la terre. Quand elle refit surface, elle se trouva juste derrière le monstre. Celui-ci, ne sachant pas nager, vidait le lac en buvant l'eau…
La jeune fille se dit : « Laissons faire ce hideux personnage ; lorsqu'il n'aura plus soif, il s'arrêtera bien de lui-même. Il est temps de rejoindre ma mère. » Et elle tourna le dos au monstre.
De retour dans la cabane familiale, la jeune fille dit à sa mère :
– Le vieux des rochers a dévoré mon aînée.
– La pauvre fille ! s'écria la vieille. A-t-il au moins laissé ses os ?
– Oui, mais il les a éparpillés autour de lui.
– Quel abominable bonhomme ! dit la mère. Allons récupérer son squelette, nous en ferons deux beaux colliers.
Elles partirent.
Sur la berge du lac, elles cherchèrent et ne trouvèrent aucun os. En revanche, elles découvrirent une petite tache de sang sur une cupule de gland. La mère la plaça dans la coque d'une noisette, la cacha dans son sein, la rapporta chez elle et la mit au fond d'une poterie. Puis, les deux femmes se couchèrent sans manger en signe de deuil.
Or, pendant la nuit, quelqu'un cogna dans la jarre. Les femmes se précipitèrent et virent que la goutte de sang s'était transformée en un beau jeune homme.

– Sortez-moi de ce pot, je suis votre petit-fils et votre neveu, déclara le Brave. Je sais tout ce qui s'est passé et je veux venger ma mère. Allez me chercher du bois, je dois me faire un arc et des flèches.

La mère et la fille se rendirent dans la forêt, et le jeune garçon travailla tout le restant de la nuit.

Au matin, il dit :

– Je pars à la recherche de l'odieux serpent. Préparez un bon ragoût, je reviendrai le manger ce soir.

Il partit.

Lorsqu'il parvint au bord du lac, Caddaja se chauffait au soleil.

– Réveille-toi, vieux grigou ! lui cria-t-il. Prends ta lance et défends-toi. Je viens te tuer !

– Je n'ai pas de lance, pleurnicha le serpent.

– Qu'à cela ne tienne, prends ton tomahawk.

– Je n'en possède pas.

– Dans ce cas, prends ton couteau.

– Je l'ai cassé hier.

– Décidément, à part ton mauvais caractère, tu n'as pas grand-chose à toi. Mais cela ne fait rien, je vais te faire un cadeau. Tiens, prends cette flèche !

Et le jeune Brave lui décocha son trait entre les deux yeux. Aussitôt, la flèche se changea en un gros chêne et la tête du monstre éclata en mille morceaux.

Revenu dans la hutte, le jeune homme expliqua à ses parentes :

– Je ne crois pas qu'il soit bon pour vous de rester dans cette contrée. Un jour, un autre serpent viendra habiter la cabane du vieil homme des rochers, et tout recommencera.

– Que nous conseille mon petit-fils ? demanda la vieille.
– De me suivre en d'autres lieux. J'ai décidé d'aller vivre au ciel. De là-haut, je verrai mieux les Mauvais-Esprits de la terre, et il me sera plus facile de les combattre.
La mère et la fille suivirent le jeune homme.
C'est là qu'ils sont tous les trois depuis lors. Le jeune Brave chasse les Monstres-Serpents, et les deux femmes lui préparent ses repas.

CELUI QUI N'EN FAISAIT QU'À SA TÊTE

ILLUSTRÉ PAR CHRISTIAN GUIBBAUD

LÉGENDE DE LA TRIBU DES KUTENAI

6 MINUTES

POUR VOIR DES CHOSES

Il y avait, à cette époque sur la terre, beaucoup plus de mauvais génies qu'aujourd'hui, et les hommes étaient moins nombreux.
Rêve-d'un-Songe, un jeune de la tribu des Kutenai, eut un jour l'envie de voyager.
Ses amis lui dirent :
– À quoi te servirait d'aller plus loin. N'es-tu pas bien ici ?
– Je veux découvrir des choses qu'il ne m'est pas donné de voir chaque jour, déclara-t-il.
Rêve-d'un-Songe quitta donc les siens et partit vers le sud.
Il marchait depuis plus d'une lune, lorsqu'il vit un vieil homme qui pêchait au bord d'un fleuve.

– Hey ! lui cria le vieux. Tu es Rêve-d'un-Songe, je te reconnais. J'ai bien connu ton père, c'était un homme de bon sens. Que puis-je faire pour toi ?
– Me dire où mène ce chemin.
– À ta place, je n'irais pas plus loin. Mais si tu veux continuer, je te conseille de prendre garde. Dans cette forêt, tu verras un nouveau-né suspendu à une branche. Surtout, ne fais pas attention à lui, car, en réalité, ce n'est pas un enfant mais l'odieux Serpent-qui-n'est-Jamais-Rassasié.
Avant de le laisser partir, le vieux lui donna un couteau.
– Prends ça, tu pourrais en avoir besoin.
Rêve-d'un-Songe poursuivit sa route. Bientôt, il entendit des gémissements. Un bébé était suspendu à un arbre. Il passa devant sans s'arrêter, mais, après quelques pas, il s'apitoya.
– Qu'as-tu donc à pleurer ainsi ?
– Cela fait plus de dix neiges que je n'ai pas tété ma mère.
Rêve-d'un-Songe lui donna son doigt à sucer.
– Tiens, prends toujours cela, je n'ai rien d'autre à t'offrir.
Le nouveau-né s'arrêta de pleurer et entreprit de sucer le doigt. Puis il aspira la main. Et bientôt, tout le bras disparut dans sa bouche. Effrayé, Rêve-d'un-Songe se souvint du couteau que lui avait donné le pêcheur. Il le planta dans le corps de l'enfant, et celui-ci lâcha prise aussitôt. Mais quand Rêve-d'un-Songe regarda son bras, il vit que le Serpent-qui-n'est-Jamais-Rassasié avait avalé toute sa chair.
« Heureusement, se dit-il, que je ne lui ai offert que mon bras gauche. »
Plus loin, le jeune Kutenai rencontra une vieille en train de s'épouiller devant sa hutte.
– Hey ! N'est-ce pas Rêve-d'un-Songe que je vois là ? J'ai bien connu ton père, c'était un homme plein de bon sens. Que puis-je faire pour toi ?
– Dis-moi, vieille, où conduit ce chemin ?
– Il traverse la Vallée-des-Squelettes. Si tu t'y aventures, ne t'y arrête pas. Un oiseau y chante constamment, mais ne l'écoute pas car il s'agit de l'Oiseau-qui-Jamais-ne-Dort, un des plus mauvais génies de la contrée. Tiens, voici un tomahawk au cas où tu en aurais besoin.

Rêve-d'un-Songe prit l'arme et continua sa route. Après une courbe, le chemin devint si encombré de squelettes que le jeune homme éprouva du mal à avancer. C'est alors qu'il entendit un chant étrange. Il se dit : « Siffle tant que tu le voudras, je sais qui tu es. » Puis il s'arrêta pour contempler un crâne. À ce moment, il se sentit soulevé de terre et il monta vers les nuages. Au sommet d'une montagne, un oiseau le déposa dans son nid.

– J'ai vu que tu étais fatigué, lui dit le volatile. J'ai été te chercher afin que tu te reposes ici.

Douillettement installé sur un lit de plumes, Rêve-d'un-Songe s'endormit. L'oiseau saisit sa jambe et en aspira la moelle. Rêve-d'un-Songe se réveilla en sursaut et asséna un coup de tomahawk sur la tête de l'oiseau.

Et le Kutenai continua son voyage... Jusqu'au moment où il vit un vieil homme qui mettait son canoë à l'eau.

– Hey ! N'es-tu pas Rêve-d'un-Songe ? Ton père était mon ami et c'était un homme de bon sens. Que puis-je faire pour son fils ?

– Je voudrais savoir où mène cette rivière.

– Elle conduit au grand lac. Mais en réalité ce n'est pas un lac, il s'agit du Monstre-qui-Jamais-ne-Bouge. Il digère ceux qui entrent dans son vaste estomac.

– Je veux y aller voir.

– Alors, prends ce canoë. Cependant, fais très attention, dès que tu sentiras une odeur nauséabonde, tu devras revenir très vite. Sinon, tu pourrais le regretter car le monstre te dévorerait.

Rêve-d'un-Songe embarqua dans le canoë et descendit la rivière. Il arriva devant une large étendue d'eau et une odeur fétide le prit à la gorge.

« Faut-il que je revienne maintenant ? » se demanda-t-il.
Mais bien installé au fond de son canoë, il décida de continuer. Rêve-d'un-Songe ne se rendait pas compte qu'il était déjà avalé par le monstre. L'obscurité se fit autour de lui et elle devint de plus en plus épaisse à mesure qu'il progressait.
Le jeune homme fut alors pris de peur. Il pagaya de plus en plus vite. Enfin, il vit devant lui une faible lueur qui grandit à mesure qu'il avançait. Puis ce fut une vive clarté.
Rêve-d'un-Songe venait de sortir du monstre. Fou de joie, il agita le bras, et son embarcation chavira. Il nagea jusqu'à la rive et poussa un soupir de soulagement. Mais pendant cet affreux voyage, le monstre avait avalé toute sa chair. Le jeune homme revit alors le vieil homme qui avait donné son canoë.
– Aide-moi. Porte-moi sur ton dos, je suis exténué.
L'homme répondit :
– Ah tiens, voilà qui est bizarre, un squelette me parle.
– Je ne suis pas un squelette, je suis Rêve-d'un-Songe.
Le vieillard fut secoué par un grand rire.
– Ainsi, tu es ce jeune fou dont je connaissais le père. Tu n'as nul besoin d'aide puisque tu n'en fais toujours qu'à ta tête.
Et l'homme entreprit de couper un arbre sans plus s'occuper du jeune homme.
Alors, Rêve-d'un-Songe retourna à pied à son village. Les Kutenai rirent bien en le voyant. Une grue leur avait raconté toute l'histoire. Non seulement Rêve-d'un-Songe avait perdu son couteau, son tomahawk et son canoë dans l'aventure, mais le dernier mauvais génie l'avait sucé jusqu'à l'os.

LES OISEAUX-DE-FEU ET LE MONSTRE-DES-EAUX

ILLUSTRÉ PAR FABRICE TURRIER

LÉGENDE DE LA TRIBU DES ARIKARA

5 MINUTES

POUR SAUVER LES OISILLONS

En un lieu agréable, entre le Fleuve-Hurleur et l'endroit où la grue se tient entre les roseaux, vivait autrefois un Brave doté de dons surnaturels. Un bon génie lui avait donné quatre flèches magiques : une noire, une rouge, une jaune et une blanche. Quelle que soit la distance, ces flèches-médecine [1] atteignaient toujours leur cible. Ce bon chasseur, qui était aussi un vaillant guerrier, n'utilisait dans la vie courante que la flèche blanche et la jaune.
Un jour, il tua un cerf. Il alluma un feu et fit cuire une cuisse de l'animal. Après avoir mangé, il s'allongea pour dormir un peu.

1. Flèches-médecine : flèches possédant des pouvoirs surnaturels.

Durant son sommeil, deux Oiseaux-de-Feu sortirent des nuages et l'emportèrent loin vers l'ouest. Ils le déposèrent au sommet d'une haute montagne. Quand le Brave se réveilla, il se dit qu'il n'était jamais venu dans ce pays. Il voulut descendre dans la vallée, mais il ne rencontra que précipices et parois abruptes. Soudain, il y eut un bruit d'ouragan, la montagne trembla... Le chef des Oiseaux-de-Feu volait vers lui.
Il vint se poser à son côté et lui dit :
– N'aie crainte. Je ne te veux aucun mal. Accepte de rester avec nous et je serai ton grand-père. Tu es un courageux chasseur et, à ce qu'il paraît, tu possèdes de très bonnes flèches. Je dois prochainement livrer un dur combat, et tu m'aideras !
Le Brave, enchanté et honoré, demanda ce qu'il aurait à faire. L'oiseau expliqua :
– Tu sais qu'il incombe aux Oiseaux-de-Feu de lutter contre les Esprits-des-Ténèbres, eh bien tu combattras avec nous. Ma famille et moi, nous vivons depuis toujours au sommet de cette montagne, mais il nous est impossible d'élever nos petits. Chaque année, un monstre sort des profondeurs du lac et vient les dévorer. Le Monstre-des-Eaux a deux têtes, et d'épaisses écailles de silex recouvrent tout son corps, de sorte que nos dards-éclairs n'ont aucun effet sur lui. Aide-nous à tuer ce monstre, alors tu seras le frère de tous les oiseaux de la terre et ils te protégeront !
L'Oiseau-de-Feu mena le Brave vers son nid et lui montra ses six oisillons qui criaient leur faim.
– Vois, ils sont encore petits, mais aussitôt qu'ils auront des plumes, le monstre viendra les manger.
Le Brave prit dans sa ceinture une poignée de grains de maïs et l'offrit aux affamés. Dès lors, il apporta aux petits Oiseaux-de-Feu tout le gibier qu'il tuait.
Un jour, le père et la mère des oisillons lui dirent :
– Tu es bien aimable pour tes jeunes parents. Le temps approche où le Monstre-des-Eaux va venir. Allons nous poster sur cette montagne ; de là-bas, nous pourrons mieux le surveiller.

Au lever du soleil du deuxième jour, une terrible tempête annonça l'arrivée du monstre. Les eaux du lac se mirent à bouillir, de gros nuages de vapeur les recouvrirent. Puis, deux énormes boules rondes, écailleuses et horribles, apparurent. C'étaient les deux têtes du monstre !
Lorsque les têtes commencèrent à escalader le flanc de la montagne, les Oiseaux-de-Feu piquèrent vers elles dans un bruit étourdissant. Des éclairs jaillirent des yeux des Oiseaux-de-Feu. Ils frappèrent le monstre en faisant crépiter des milliers d'étincelles.
Hélas, aucun n'arriva seulement à entamer la cuirasse du Monstre-des-Eaux qui continua à ramper et arriva au bord du nid.
Alarmés, les Oiseaux-de-Feu crièrent au Brave :
– Tire maintenant, si tu veux nous aider !
Le Peau-Rouge prit sa flèche noire dans son carquois et la posa sur son arc. Il attendit qu'une gueule rouge s'ouvrît et, au moment où elle allait croquer un oisillon, il tira dans la gorge.
– Tiens, hurla-t-il. Avale donc cette médecine !
On entendit un terrible craquement. La tête hideuse vola en éclats, car la flèche noire était en réalité un érable de la forêt.
Mais déjà, la deuxième tête approchait du nid. Le Brave décocha sa flèche rouge en rugissant :
– Voici une autre médecine que tu apprécieras !
La seconde tête explosa comme la première, car la flèche rouge était un grand pin de la montagne.
Le corps du Monstre-des-Eaux dégringola le long de la paroi rocheuse dans un bruit de tonnerre et disparut dans le lac.

Alors, des milliers d'oiseaux arrivèrent des quatre coins du monde. Ils voltigèrent en manifestant leur joie.
Le chef des Oiseaux-de-Feu dit :
– Tu as sauvé nos petits. Tu es maintenant le frère des oiseaux. Dorénavant, tous ceux qui sont ici te protégeront du danger. Veux-tu que nous te ramenions dans ton pays ?
Le Peau-Rouge réfléchit un instant et déclara :
– Non ! Je préfère continuer à tuer des monstres.

Depuis ce jour, le Brave passe son temps à parcourir la terre. Avec ses quatre flèches magiques, il combat les Esprits-des-Ténèbres, et les Indiens de toute la terre peuvent dormir en paix.

LE MYSTÈRE DE LA CARRIÈRE DE LA PIERRE À PIPE

ILLUSTRÉ PAR MURIEL KERBA

LÉGENDE DE LA TRIBU DES SIOUX

11 MINUTES

POUR SE MONTRER TOLÉRANT

En ce temps-là, les Sioux habitaient près du grand lac que cerne une immense forêt de pins. Dans la tribu des Dakota vivait un Brave nommé Herbe-du-Milieu.

Ce Sioux très belliqueux n'était guère enchanté de posséder un tel nom. Il n'avait qu'un désir : en obtenir un nouveau qui clamerait beaucoup mieux ses nombreuses victoires remportées sur les ennemis.

Un soir, au conseil, il dit :

– Je vais partir vers le sud. En ce lieu où les aigles survolent les montagnes, je compte bien acquérir un nom digne de moi.

Les sages de l'assemblée poussèrent un soupir de soulagement en apprenant les intentions d'Herbe-du-Milieu. Dans un de ses nombreux moments de colère, ce Brave trop impulsif avait déjà tué trois de ses meilleurs amis.
Herbe-du-Milieu prit donc sa lance et s'éloigna sans plus attendre.
Le soleil venait de se lever pour la quatrième fois quand il rencontra un gros animal bossu. Il lui dit :
– Tu es ridicule avec cette bosse sur le dos. Ôte-toi de mon chemin, tu m'énerves !
Le vieux à l'échine déformée était l'Esprit-des-Bisons. Il répondit calmement :
– Tu me parais bien frêle pour t'attaquer à moi.
Fou de rage, Herbe-du-Milieu ne se contint pas :
– Es-tu inconscient ? Ne vois-tu pas que je suis un Sioux qui ne supporte pas la vue d'un ennemi ?
– Suis-je un ennemi ? interrogea le bison.
– Mon esprit combatif est si grand que tout ce qui n'est pas moi est mon ennemi, tonna Herbe-du-Milieu en bombant la poitrine.
Alors, il brandit sa lance et en frappa le gros animal. Mais la pointe de silex glissa sur le cuir sans le pénétrer.
Le Sioux s'écria :
– Peste ! Ton dos est plus dur que celui des autres bisons. J'ai tué plus d'ennemis que j'ai de doigts aux mains. Comment se fait-il que je n'arrive même pas à entamer ta chair ?
Le vieux, perclus de rhumatismes, se mit à rire :
– Je dois avouer que je ne suis pas un bison ordinaire. Je suis si âgé que ma toison me sert de bouclier.
– Mon bras est pourtant puissant ! clama le Brave.
– Qu'importe ton bras ! ricana l'ancêtre barbu. Tu ferais mieux de communiquer ta force à ta lance, elle te serait plus utile.
– C'est une bonne idée, admit l'irascible guerrier.
Il se concentra un moment et mit toute son énergie dans son arme.

Instantanément, elle devint une lance-médecine [1].
– Pose maintenant sa pointe sur ce rocher, ajouta le bison.
Herbe-du-Milieu fit le geste, et le roc éclata en mille morceaux.
– Ma parole ! s'exclama le Sioux. Sais-tu, vieil animal, que tu es de bon conseil.
– Tu es assurément plus efficace qu'avant, conclut le vieux malin. Néanmoins, avec cette lance, tu ne pourras tuer que les animaux ou les hommes qui attenteront à ta vie.
Apparemment satisfait, Herbe-du-Milieu reprit sa course et arriva bientôt en vue d'une haute montagne rouge. C'était en ce lieu que les différentes tribus indiennes venaient chercher les pierres dans lesquelles elles fabriquaient leurs calumets de paix. Justement, de nombreux ennemis des Sioux étaient en train d'en extraire dans une grande carrière. Aussitôt, Herbe-du-Milieu leva sa lance et lui ordonna :
– Tue-moi vite tous ces gens. Ils me sont indifférents et je ne puis supporter leur présence ici.
Mais le bras d'Herbe-du-Milieu s'abaissa de lui-même et lui expliqua :
– Je ne peux pas lancer une arme contre ces hommes tant qu'aucun d'eux ne fera un geste pour prendre ta vie. Souviens-toi de ce que l'Esprit-des-Bisons t'a dit.
– Que vais-je devenir ? se lamenta Herbe-du-Milieu. Les Sioux mes frères se moqueront de moi lorsqu'ils apprendront ma faiblesse.
– Pas du tout ! affirma le bras. Pose plutôt la pointe de ta lance sur le flanc de cette montagne au lieu de gémir.
Herbe-du-Milieu s'exécuta. À peine le silex frôla-t-il la montagne qu'un large pan de roc vola en éclats. Les Indiens accoururent en criant :
– Voyez tous ! Un homme muni d'une puissante médecine est arrivé parmi nous. Nous n'aurons plus à nous épuiser pour extraire la roche afin de confectionner nos calumets. Sa lance peut d'un seul coup faire exploser une montagne.

1. Lance-médecine : lance possédant des pouvoirs surnaturels.

Le soir même, les Indiens, jadis ennemis du Sioux, le convièrent à un banquet et lui firent fête. Ils lui offrirent aussi du tabac et Herbe-du-Milieu put fumer dans les pipes que ses ennemis avaient fabriquées dans les pierres qu'il avait arrachées à la montagne.
Après cette cérémonie, il fut unanimement décidé qu'Herbe-du-Milieu se nommerait dorénavant Tranche-la-Montagne.
Alors, le Sioux devint juste et bon. Il s'était rendu compte qu'on peut trouver satisfaction à rendre service aux autres Indiens plutôt qu'à les tuer. Estimant qu'il était maintenant paré de toutes les qualités, il pensa qu'il lui incombait de rendre la justice.
Et le temps passa sans que le Sioux ait l'occasion de mettre en pratique la nouvelle fonction qu'il s'était attribuée. À chaque naissance du soleil, il craignait un peu plus de ne jamais pouvoir un jour jouer au justicier.
Et puis, l'occasion se présenta…
Au sommet de la montagne vivait un aigle. Chaque semaine, l'oiseau planait au-dessus de la grande plaine, saisissait un bison par la peau du cou et le ramenait dans son nid.

Là, il le dévorait pour apaiser sa faim. Au cours de ces repas, le sang du bison coulait sur la montagne. C'est pour cela que les pierres de la carrière étaient teintées de rouge. L'aigle se nommait Tso-Mi-Cos-Tii. Autrement dit : Gardien-de-l'Endroit-Sacré.

Un Iroquois expliqua au Sioux :

– L'aigle du sommet habite un nid-tonnerre. Il est tissé d'éclairs et de rayons de pluie. L'oiseau est une femelle, son mâle est un serpent. Lorsque l'aigle pond, le ciel s'obscurcit, l'orage gronde et le vent se déchaîne en tempête. Cet oiseau couve le temps d'une lune. Dès que le poussin crève la coquille, son père serpent survient, le touche de sa langue et le petit meurt instantanément. Heureusement, l'aigle est éternel. Sinon, sa race serait éteinte depuis bien longtemps.

– Comment sais-tu cela, toi qui n'es jamais monté là-haut ? demanda Tranche-la-Montagne à l'Iroquois.

– Un vieux sorcier me l'a dit. Il m'a déclaré avoir fait le voyage et constaté la chose de ses propres yeux. Il m'a même assuré que l'aigle n'était pas plus gros que l'ongle de mon petit doigt.

– C'est incroyable ! s'écria Tranche-la-Montagne. Si je n'étais pas si fatigué, j'irais dire deux mots à ce serpent.

Dans la nuit, de gros nuages noirs s'amoncelèrent autour du pic et le tonnerre gronda.

Tranche-la-Montagne pensa : « L'aigle est certainement en train de pondre son œuf. Je vais arranger ses affaires en tuant le serpent. »

Aux premières lueurs de l'aube, il commença à escalader la pente. Chemin faisant, il rencontra une belette.

– Où vas-tu de si bon matin ? lui demanda-t-elle.

– Je vais rendre la justice ! répondit hâtivement Tranche-la-Montagne.

– Qui es-tu donc pour te croire investi d'une telle mission ?

– Un homme bon qui veut le bien des autres. Allons, laisse-moi le passage !

La belette alla se cacher dans une faille où nichaient d'autres belettes. Pendant que Tranche-la-Montagne s'éloignait, elle cria :

– Voyez mes sœurs, voici un justicier ! Voici un justicier ! Voici un justicier !...
Le Sioux haussa les épaules et continua à grimper le long de la paroi. Arrivé au sommet, il découvrit le nid. L'oiseau était en effet minuscule. Le jeune Sioux s'adressa au serpent :
– J'ai entendu dire que tu tracassais ta femme en tuant ses enfants. Est-ce vrai ?
Pour toute réponse, le reptile toucha l'oisillon qui venait de sortir de sa coquille et le changea en un petit caillou rond.
– C'est abominable ! rugit Tranche-la-Montagne hors de lui. Je vais te tuer pour t'apprendre à respecter la vie.
Il pointa sa lance et en frappa le serpent.
Ce dernier n'éclata pas et le Sioux se prit à balbutier :
– Comment se fait-il qu'il ne se soit rien passé ? Cette arme peut briser la pierre, et ce serpent est intact. Aurait-il un pouvoir magique ?
Moqueur, le reptile siffla :
– En doutais-tu ? Ignores-tu qu'ici, tu es chez les Esprits ? Ma femme est l'Être-Éternel et je suis son mari, celui qui voit de tous les côtés à la fois et qui sait tout. De quel droit un homme rendrait-il la justice ? Sache que chacun doit pouvoir agir selon ses propres coutumes sans qu'un ignorant vienne les perturber. Une des miennes consiste à veiller à ce qu'il n'existe qu'un Être-Éternel sur la terre afin que règne la paix dans ce nid. Au lieu de rendre une justice aveugle, selon tes principes, répands plutôt ma parole, et les hommes ne connaîtront plus les conflits.
Tranche-la-Montagne médita plusieurs jours à l'intérieur du nid-tonnerre. Puis, il dit à l'aigle femelle :
– Ton mari a raison. Quand on ne sait rien des habitudes des autres, la sagesse est de les laisser vivre à leur guise.
Et il ajouta pour le serpent :
– Excuse-moi pour le dérangement que je t'ai causé. Aucun homme ne viendra plus t'importuner, j'y veillerai !
Pour le remercier, le reptile lui fit cadeau du petit caillou rond.

– Voici mon fils, lui dit-il. Regarde-le toutes les fois que tu seras tenté de t'occuper des affaires des autres. Ainsi, tu te souviendras mieux de ta promesse.
Reconnaissant, le Sioux redescendit vers la carrière. Il répéta à ses amis de toutes les tribus les propos du serpent. Les Indiens lui offrirent chacun un calumet en pierre rouge, en gage de paix. Et après mille effusions, Tranche-la-Montagne retourna chez ses frères les Sioux.
Il arriva un soir, alors que se tenait un grand conseil. Tranche-la-Montagne conta ses aventures et montra le petit caillou rond. Le sorcier lui dit :
– Nous savions tout cela bien avant ta naissance. Nous ne t'avons jamais enseigné le respect d'autrui car tu avais jusqu'ici été trop impulsif pour nous entendre. Aujourd'hui, tu es fort mais tu ne tueras plus. Aujourd'hui, tu es juste mais uniquement envers toi-même. C'est très bien, et tes frères seront toujours heureux de fumer en ta compagnie les pipes que tu as rapportées de ton voyage.
Fier de son nouveau nom, Tranche-la-Montagne vécut longtemps parmi les siens. De nos jours, il est mort, mais son esprit demeure encore dans le corps des Sioux. Lorsqu'ils voient un petit caillou rond, sur le sol, ils pensent à l'Être-Éternel et ne songent plus à tuer les Indiens des autres tribus qui ne font rien comme eux. Les Chippeway portent sur la tête des coiffes en plumes de dindon. Les Crow préfèrent se parer des plumes du corbeau. Les Sioux, eux, arborent des plumes d'aigle en souvenir du nid-tonnerre, sans trouver à redire aux coutumes des Chippeway et des Crow.

POUR ALLER PLUS LOIN

Il ne faut pas confondre pipe ordinaire et calumet. Le Calumet-Sacré est réservé aux cérémonies traditionnelles et lors de prises de décisions importantes.
Au début du conseil, le chaman aspire et souffle la fumée vers le nord et le sud, en direction de la terre et du ciel. Il incite ainsi le Grand-Esprit à participer aux délibérations, car c'est par cet objet que remontent ses prédictions. C'est un temps de réflexion d'où les Peaux-Rouges tirent leur sérénité et leur sagesse.
La Carrière-de-la-Pierre-à-Pipe est le lieu sacré de tous les chamans (sorciers).

UN POUR TOUS ET TOUS POUR UN

LES DEUX GRANDES FORCES

ILLUSTRÉ PAR CHRISTIAN GUIBBAUD

Un beau matin, deux étrangers pénétrèrent dans le village mohawk. L'un venait du nord ; l'autre arrivait du sud. Le premier se nommait Force-Irrésistible. Le second s'appelait Objet-Inébranlable.

Ces deux hommes, à la musculature puissante, étaient des géants. Force-Irrésistible prétendait pouvoir raser une montagne d'un seul coup de poing. Objet-Inébranlable assurait qu'aucune tempête, aussi grande fût-elle, n'arrivait à lui faire plier l'échine. Et vu la carrure impressionnante de ces créatures, aucun Mohawk n'en doutait.

Ces prétentions n'empêchaient nullement les deux étrangers de vivre en bonne intelligence. Chaque jour, l'un invitait l'autre sous son wigwam et leurs rires s'entendaient fort tard dans la nuit.

Dans ce village, il y avait un idiot. Autrefois, ce jeune homme avait, paraît-il, été très intelligent.
Hélas, un jour, il s'était extasié devant une fleur nouvelle sans prendre garde de mettre sa main devant sa bouche. Et son esprit s'était envolé par l'orifice grand ouvert. Depuis cette époque, on ne l'avait plus appelé que Sans-Esprit.
Ce jeune homme aimait une belle jeune fille. À quelques jours de là, il l'avait demandée en mariage. Mais la douce beauté lui avait répondu :
– Comment pourrais-je vivre sous ton wigwam puisque tu n'en possèdes pas ? Tu subsistes grâce à la charité des autres. Tu ne vas jamais à la chasse, comment pourrais-tu entretenir une femme ? Je préférerais encore épouser les deux étrangers. Avec la force qu'ils possèdent, ces hommes sont certainement riches en leur pays.
Sans-Esprit avait pris les deux géants en grippe.
Un soir, alors que les villageois étaient assis autour d'eux devant le feu, Sans-Esprit demanda ingénument au sorcier :
– Que se passerait-il si une force irrésistible rencontrait un objet inébranlable ?
Le sorcier ne sut que répondre. Néanmoins, certains prétendirent que rien ne pouvait résister à une force irrésistible, d'autres affirmèrent que rien ne pouvait ébranler un objet inébranlable.
Seuls les étrangers ne donnèrent pas leur avis.
Dès le lendemain, la tribu des Mohawk fut divisée en deux camps. Plusieurs faillirent en venir aux mains.
Chaque jour, le sorcier tentait de calmer les plus turbulents, mais chaque soir devant le feu, Sans-Esprit reposait sa question :
– Qu'arriverait-il si une force irrésistible rencontrait un objet inébranlable ?
Si bien que le sorcier n'essaya même plus d'apaiser les excités.
Des paris furent lancés. Pierre-Creuse engagea toutes ses armes. Arbre-Tordu misa trois de ses femmes. Beaucoup s'endettèrent, quelques-uns se ruinèrent.

Néanmoins, ces richesses ne quittaient pas les mains de ceux qui les possédaient puisque personne ne pouvait départager les parieurs.

Ne pouvant pas trancher, le sorcier perdit sa réputation, le chef fut rejeté pour son manque de savoir. Les discussions duraient parfois jusqu'au petit matin sans que les personnes présentes pensent à mettre du bois sur le feu.

La tribu des Mohawk n'était plus que l'ombre d'elle-même !

C'est alors que Sans-Esprit annonça :

– Je détiens la solution du mystère.

Les Braves se ruèrent littéralement sur lui.

– Apprends-nous vite ! Nous ne pouvons plus vivre ainsi. Nos femmes ne nous parlent plus et nous avons des ennemis jusque dans nos propres familles.

Sans-Esprit se concentra et déclara :

– J'accepte de vous donner la solution, mais à une condition. Vous me confierez vos mises et c'est moi qui distribuerai les gains. Sinon, je vous crois capables de vous battre.

Les Mohawk optèrent pour cet arrangement. Ils construisirent hâtivement un grand wigwam à Sans-Esprit afin qu'il puisse mettre les enjeux sous abri. Quand la cabane fut entièrement pleine, Sans-Esprit décida qu'il refusait tout nouveau pari. Puis, il dit :

– Venez tous ce soir autour du feu, je vous dévoilerai mon plan.

Les Braves passèrent ce jour dans les transes. Dès la tombée de la nuit, ils pressèrent leurs femmes d'allumer un énorme brasier. Sans-Esprit se présenta le dernier devant l'assemblée.

Il désigna les étrangers et dit :
– Nous avons ici Force-Irrésistible et Objet-Inébranlable. Organisons un combat entre ces deux hommes et nous saurons enfin ce qui se passe lorsqu'une force irrésistible rencontre un objet inébranlable.
Les géants acceptèrent de lutter sans se faire prier, chacun étant persuadé de remporter la victoire.
Sans-Esprit demanda aux Mohawk d'élargir le cercle. Il plaça les étrangers au milieu afin que tout le monde les voie bien. Alors, il déclara :
– Je serai l'arbitre de ce combat. Force-Irrésistible pourra prendre dix pas d'élan. À mon signal, il devra fondre sur Objet-Inébranlable. Charge à ce dernier de résister.
Force-Irrésistible recula et bomba la poitrine. Objet-Inébranlable affermit ses jambes sur le sol pour mieux recevoir le choc.
Sans-Esprit donna le signal. Force-Irrésistible fonça comme un buffle et heurta Objet-Inébranlable.
Il ne se passa rien !
Sans-Esprit s'écria :
– Comment vouliez-vous qu'il en soit autrement ? Les deux forces se sont neutralisées entre elles.
– Personne n'a donc gagné, remarqua le sorcier.
– Si, moi ! répliqua Sans-Esprit. Puisqu'il m'est impossible de distribuer les enjeux, je les garde.
Les Mohawk firent triste mine mais ils n'en voulurent pas à Sans-Esprit. Ils reconnurent sa sagesse et le nommèrent Celui-qui-a-Beaucoup-d'Esprit.
Depuis, le jeune homme a épousé la belle jeune fille et il consacre sa fortune à subvenir aux besoins de la tribu.

LA PASSION DE TÊTE-CRAQUANTE

ILLUSTRÉ PAR FABRICE TURRIER

LÉGENDE DE LA TRIBU DES YOKUT

7 MINUTES

POUR PERDRE AU JEU

Chez les Indiens Yokut, une femme accoucha d'un enfant. Le bébé naquit en tenant une côte de sa mère entre ses mains. Loin de s'en offusquer, l'accouchée trouva la chose amusante. Elle appela son fils Emprunte-aux-Autres car elle estima que ce nom lui allait parfaitement.

Peu après sa naissance, il s'avéra qu'Emprunte-aux-Autres était un enfant précoce. Dès qu'il put s'asseoir, il délaissa le sein de sa mère pour apprendre à jouer aux osselets [1]. Il fit d'ailleurs de rapides progrès.

Aussitôt qu'il sut marcher, Emprunte-aux-Autres s'entraîna à manier la crosse [2] et devint très vite le meilleur joueur de la tribu.

1. Osselets : les sorciers utilisaient aussi les osselets pour consulter les esprits.
2. Crosse : jeu qui se rapproche du hockey sur gazon.

Ce drôle était en réalité habité par un démon. Lorsque Emprunte-aux-Autres eut atteint la condition de jeune Brave, il se rendit de village en village afin de provoquer les hommes au jeu. Cette passion devint si grande que chacun dans sa famille ne l'appela plus que Tête-Craquante.
Ce phénomène livrait d'innombrables parties et gagnait toujours. Il devint si riche qu'il put épouser une jeune fille merveilleusement belle et très convoitée. Sa grande aisance lui avait permis d'offrir de somptueux cadeaux aux parents de la fille pour l'obtenir.
Dans les tribus alentour, les hommes craignaient la chance quasi diabolique de Tête-Craquante. Cependant, malgré sa réputation, il trouvait toujours un parieur désireux de se mesurer avec lui.
On chuchota bientôt dans son dos : « Ce Tête-Craquante doit posséder une sorte de pouvoir magique. »
Un jour, Tête-Craquante arriva dans un village. Il monta sa tente et cacha sa jolie femme à l'intérieur. Ensuite, il lança un défi aux hommes présents. Un certain Brindille-de-Saule le releva et les deux Braves s'installèrent sous un grand tipi. Une foule de curieux se pressa autour d'eux.

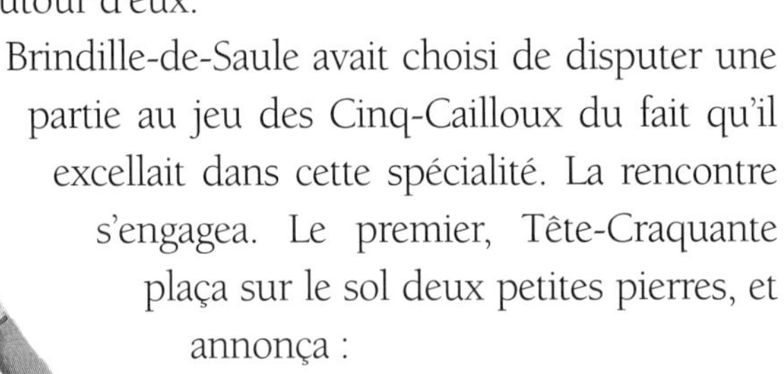

Brindille-de-Saule avait choisi de disputer une partie au jeu des Cinq-Cailloux du fait qu'il excellait dans cette spécialité. La rencontre s'engagea. Le premier, Tête-Craquante plaça sur le sol deux petites pierres, et annonça :
– Voici l'ours. Ce sont ses deux yeux.
Brindille-de-Saule riposta en alignant ses cinq cailloux afin qu'ils dessinent une ligne brisée, et déclara :
– Voici le serpent. Il ondule sur un rocher.

La partie continua jusqu'au soir. À la fin de cette première journée, Tête-Craquante n'avait qu'un léger avantage.
Les jours suivants, il prit la suprématie sur son adversaire. Et vint le moment où Brindille-de-Saule perdit régulièrement. Il se retrouva finalement dépouillé de ses plus précieux vêtements de cérémonie, de ses habits ordinaires et de tous ses ornements.
Cependant, Brindille-de-Saule continua à jouer. Alors, il dut abandonner à Tête-Craquante ses armes de chasse et de pêche, ainsi que son tipi et sa réserve de peaux de loutre.
Lorsqu'il ne lui resta plus rien, il dit à Tête-Craquante :
– Continuons la joute. Je mets ma femme en jeu.
– J'ai déjà une femme, et c'est bien assez ! répliqua Tête-Craquante.
– Alors, je mise une de mes mains ! ajouta Brindille-de-Saule.
– J'en ai déjà deux, que ferais-je d'une troisième main ? répondit Tête-Craquante dédaigneusement.
Le visage de Brindille-de-Saule s'emplit de tristesse. Il reprocha à Tête-Craquante de vouloir rompre le jeu.
– Dans ce cas, j'accepte ta proposition, dit ce dernier. Néanmoins, nous ne jouerons que ta main gauche afin que tu puisses encore tenir une lance.
La partie reprit. Brindille-de-Saule dessina un carré sur le sol avec quatre de ses pierres.
– Voilà le cerf. Ce sont ses empreintes sur la neige.
Tête-Craquante ne posa qu'un caillou.
– Voici le blaireau. Ceci est la truffe de son museau.
Il avait gagné, et Brindille-de-Saule se trancha la main. Tête-Craquante la glissa sous sa tunique de peau et gagna son tipi.
L'amputé pensa que son adversaire disposait d'un don magique. Il réfléchit longuement à la question et découvrit que cette puissance au jeu ne pouvait venir que de sa jolie femme.
Brindille-de-Saule rendit visite au sorcier du village et se fit donner un philtre d'amour. À la nuit tombée, il s'approcha de la tente où dormait le couple et poussa par trois fois le cri du hibou.

La femme de Tête-Craquante entendit l'appel de l'oiseau et ne put y résister.
Profitant que son mari dormait, elle sortit du tipi et aperçut Brindille-de-Saule qui l'attendait. Il lui dit tout bas :
– Viens, femme délicieuse, je vais te montrer les fleurs des ténèbres.
Elle le suivit irrésistiblement tant son charme était envoûtant. Brindille-de-Saule la coucha sur un tapis de mousse et lui fit un enfant.
Le lendemain, Brindille-de-Saule se rendit chez un ami. Il lui déclara qu'il ne pouvait plus perdre au jeu et lui emprunta ses six plus beaux poneys. Puis, il alla gratter contre le cuir du tipi de Tête-Craquante.
– Lève-toi ! cria-t-il. J'ai trouvé une nouvelle mise. Je veux l'engager contre toi en une dernière partie.
Tête-Craquante enfila prestement ses vêtements. Il songea qu'une aubaine inespérée se présentait et qu'il ne devait pas la laisser passer.
Et le jeu reprit.
Dès le premier instant, Tête-Craquante commença à perdre. Au cours des jours suivants, il fut constamment obligé d'envoyer quelqu'un dans sa tente pour y chercher de nouvelles mises.
Finalement, il fut détroussé de tout ce qu'il avait gagné et de ce qu'il possédait lui-même.
– C'est terminé ! déclara-t-il. Je ne peux plus jouer.
– Ne pars pas, dit Brindille-de-Saule. Il te reste ton épouse.
– Je ne veux pas la jouer. Je préfère encore miser une de mes mains.
Brindille-de-Saule éleva son moignon.
– Que pourrais-je bien faire d'une de tes mains ? Me serait-il possible de la coller à la place de celle qui me manque ? Non, tu dois jouer ton épouse !
La foule des curieux prit parti pour Brindille-de-Saule, et Tête-Craquante dut miser sa femme.
Il posa une pierre devant lui.
– Voici un ver. Il est entortillé en boule sur lui-même.
Brindille-de-Saule ne posa aucun caillou sur le sol.

Il fit uniquement une petite trace sur la terre du bout de son doigt.
– Voici un écureuil. On ne le voit pas. Il est caché derrière un arbre.
Tête-Craquante avait perdu. Il alla chercher sa femme et l'offrit à Brindille-de-Saule.
Pour le remercier, celui-ci lui planta deux bois de cerf sur le front.
– Tiens, ceci est pour toi. Ainsi chacun reconnaîtra l'homme qui a perdu sa femme au jeu.
Honteux, Tête-Craquante s'éloigna. Personne n'entendit plus jamais parler de lui.

Depuis cette partie mémorable, les Indiens Yokut qui possèdent une jolie femme ne jouent plus au jeu des Cinq-Cailloux. Ceux qui en ont une laide continuent à miser des nuits entières sous leur tipi pour s'en débarrasser.

LES DEUX NOUVEAUX FRÈRES

ILLUSTRÉ PAR MURIEL KERBA

LÉGENDE DE LA TRIBU DES CHIPPEWAY

5 MINUTES

POUR FAIRE LA PAIX

À la Lune-de-la-Saison-Froide, un groupe de Chippeway décida d'aller pêcher sur le lac. Ils avancèrent sur la glace et creusèrent des trous pour avoir accès à l'eau.

Un clan de Cree pêchait déjà un peu plus loin. La tempête faisait rage et la neige tombait si dru que les deux tribus ennemies ne se virent pas.

Au cours d'une accalmie, un Chippeway aperçut un autre pêcheur près de son trou. De beaux poissons gisaient à ses pieds. Il lui dit :

– Les saumons mordent mieux à ta ligne qu'à la mienne.

Le Cree reconnut un Chippeway à son langage et ne répondit pas. Après un petit moment, il s'éloigna et alla apprendre à ses compagnons que des Chippeway pêchaient sur la glace.

La neige cessa de tomber.

Les deux parties se découvrirent et aussitôt engagèrent le combat. Ils luttèrent tant et si bien qu'un seul homme resta dans chacun des camps adverses. Ces vaillants guerriers tentèrent en vain de s'exterminer. N'y arrivant pas, ils s'assirent et échangèrent leur nom. Le Chippeway s'appelait Forte-Lance. Le Cree se nommait Flèche-Volante.
– Tout notre appareillage de pêche est perdu, dit le Chippeway.
– Comment allons-nous pêcher maintenant ? dit le Cree.
Le Chippeway s'arracha un doigt, le recourba et le tendit à son ennemi.
– Prends cet hameçon, tu me le rendras plus tard. Si seulement nous avions une ligne…
Le Cree s'arracha une grosse mèche de cheveux, la tressa en un long fil, et dit :
– Attachons l'hameçon à cette ligne et pêchons.
Une nouvelle troupe de Cree survint. Les Braves regardèrent les morts des deux camps et désignèrent l'inconnu.
– Qui est celui-ci ?
– C'est un Chippeway, mais ne l'attaquez pas. Il est plus fort que nous tous réunis.
Cependant, les Cree étaient furieux qu'autant des leurs aient succombé. Ils lièrent le Chippeway à un arbre, décidés à le brûler.
Quand les flammes atteignirent Forte-Lance, celui-ci rompit ses liens et éparpilla le bois enflammé autour de lui.
– Je vous l'avais bien dit ! s'écria Flèche-Volante. Ce Chippeway possède une puissante médecine, il est bien plus fort que nous tous.
Les Cree qui regardaient Forte-Lance faire voler les brandons à coups de pied furent brûlés par les tisons.
– Je vous avais prévenus, dit encore Flèche-Volante. Revenons dans notre village, j'hébergerai ce Chippeway sous ma tente.
Ainsi firent-ils.
Dans le tipi de Flèche-Volante, il y avait deux femmes. Le Cree prit la plus laide et la jeta dans les bras de son nouvel ami. Mais Forte-Lance la rejeta vers lui. Alors, le Cree fit de même avec la plus jolie.

Cette fois, le Chippeway la garda et en fit sa femme.
Forte-Lance bâtit un tipi à l'orée du village et sa nouvelle épouse lui donna deux fils.
Après plusieurs neiges, alors que Forte-Lance était à la chasse, il vit de nombreuses empreintes de pas sur le sol. Il les suivit et découvrit qu'il s'agissait des gens de son ancien village. Forte-Lance raconta aux siens qu'il vivait maintenant chez les Cree.
Le chef de guerre lui demanda :
– Veux-tu rester avec nous ou retourner là-bas ? Nous devons justement attaquer tes nouveaux amis.
– Je préfère rejoindre ma femme et mes enfants.
– Nous ne voulons pas te tuer par erreur. Dans quel tipi habites-tu ?
– Dans un tipi de peau non tannée.
Lorsqu'il revint chez les Cree, Forte-Lance recommanda à son épouse de ne pas laisser s'éloigner les enfants. Puis, il alla trouver son ami Flèche-Volante.
– Tiens, prends ma lance et tue-moi.
– Pourquoi le ferais-je ?
– Les Chippeway vont vous attaquer. J'en suis un moi aussi et, en portant un coup contre toi, je tuerais mon frère.
Flèche-Volante réfléchit à la situation, et dit :
– Depuis longtemps je projette d'aller chasser dans la montagne. Je partirai cette nuit.
– Ton choix est bon. Vers le nord, mon frère fera certainement une très bonne chasse.
Flèche-Volante démonta donc son tipi et s'éloigna avec sa femme et ses enfants.
Dès que la lune montra ses yeux tristes, les Chippeway passèrent à l'attaque. Ils rasèrent le village des Cree, à l'exception d'une tente faite de peau non tannée.
Mais un des enfants de Forte-Lance fut tué pendant le combat. Le père en fut exaspéré et la mère pleura son fils.

Le chef de guerre dit à Forte-Lance :
– Il s'agit d'une malheureuse méprise. Nous allons réparer. Prends cet enfant, il est du même âge que celui que tu as perdu.
Forte-Lance se tourna vers son épouse :
– Femme, acceptes-tu ce nouvel enfant ?
Elle cessa de pleurer et le fit s'asseoir près d'elle.
– C'est bon ! dit le Chippeway. Ce petit fait maintenant partie de la famille.
Lorsque la tribu des Chippeway s'en fut allée, Forte-Lance dit encore à sa femme :
– Démonte notre tipi. Nous allons rejoindre Flèche-Volante dans les montagnes du Nord.
Cette triste histoire se répéta partout. Et depuis ce jour, les Chippeway et les Cree ne se firent plus jamais la guerre.

CELUI QUI VOULAIT S'APPELER PATTE-D'OURS

ILLUSTRÉ PAR FABRICE TURRIER

LÉGENDE DE LA TRIBU DES MECKWAKIHAG

9 MINUTES

POUR APPORTER LA GUERRE DANS SA TRIBU

À l'époque où se passa cette vilaine histoire, les Meckwakihag comptaient parmi eux un farouche guerrier. Il était si belliqueux qu'il n'effaçait pour ainsi dire jamais ses peintures de guerre. Sa fougue au combat était si grande que tous les Indiens de sa tribu l'avaient appelé Patte-d'Ours.

Or, un jour, une terrible maladie s'abattit sur le clan des Meckwakihag. Hommes, femmes, enfants et vieillards furent pris d'une étrange fièvre et des gens moururent par centaines. Bien que Patte-d'Ours fût excessivement résistant, il n'échappa pas au mal. Le sorcier l'examina et déclara à tout le village : « Notre plus grand guerrier est atteint d'une maladie que personne ne peut soigner ; elle nous a été envoyée par un Mauvais-Esprit. »

Et Patte-d'Ours mourut !

Le soir de sa mort, un enfant naquit. De ce jour, le mal décrut. Les survivants remercièrent le Grand-Esprit de les avoir préservés d'un si épouvantable cataclysme.
On s'aperçut vite de la précocité du nouveau-né. Un mois après sa naissance, il restait des journées entières le nez en l'air à regarder passer les oies sauvages. Une femme remarqua ce comportement inattendu et conseilla à la mère de l'enfant d'appeler son fils Plume-Blanche. C'est alors que le caractère du jeune Indien changea complètement. Non seulement il se mit à dédaigner les oies sauvages, mais il ne s'intéressa à rien d'autre. Il pleura du matin au soir et dépérit si vite que les gens du village redoutèrent pour lui une mort prématurée.
La mère de ce curieux enfant s'empressa de faire de gros trous dans les semelles des mocassins de son fils pour lui ôter l'envie d'aller voyager au Pays-des-Ombres. Le père alla consulter le sorcier. Celui-ci alluma un feu d'herbe sèche, s'entretint avec la fumée et déclara :
– Ton fils n'a aucune maladie grave. En réalité, il se porte même très bien. Peut-être devrais-tu changer son nom ; celui de Plume-Blanche ne paraît pas lui convenir.
Le père demanda alors à tous les vieux qui avaient eu une vie heureuse de lui vendre leur nom pour son enfant. Beaucoup acceptèrent pour sauver le petit. Ils formèrent un cercle autour de Plume-Blanche et, à tour de rôle, prononcèrent leur nom à haute voix. Le sorcier surveilla l'enfant afin de vérifier si l'un de ces noms provoquait sa joie. Hélas, aucun n'éveilla son intérêt, et Plume-Blanche ne cessa de pleurer pendant toute l'opération.
Le père de Plume-Blanche décida alors de se rendre chez les Indiens Gros-Ventres. Il en revint avec Corne-Éraflée, un sage qui avait la réputation de savoir parler aux nourrissons.
Corne-Éraflée écouta les cris de Plume-Blanche et annonça :
– Ce petit a été mal prénommé. Car en vérité cet enfant n'est pas ton vrai fils. Il s'agit du grand guerrier Patte-d'Ours qui est revenu au monde. Appelle-le Patte-d'Ours, il ne pleurera plus et reprendra des forces.

Les parents ne furent pas rassurés pour autant : donner le nom d'un mort à un enfant pouvait attirer le malheur sur eux et sur toute la tribu. Devant leur indécision, le sage posa le petit devant lui et lui dit :

– Excuse-nous de ne pas t'avoir reconnu plus tôt, Patte-d'Ours. Tu ne ressembles pas à ce que tu étais avant et nous avons commis une erreur.

Le nouveau Patte-d'Ours se calma aussitôt et adressa un sourire à ses parents.

Depuis ce jour-là, Patte-d'Ours profita et devint un jeune Brave vigoureux. Mais hélas, il devint aussi un jeune Brave très féroce. Ses jeux se révélaient dangereux et chacun dans la tribu craignait pour ses propres enfants.

Patte-d'Ours ne voulait jamais jeûner et se purifier comme les autres Indiens. Il déclarait posséder bien assez de force magique sans être obligé de se livrer à des simagrées pour en obtenir plus encore.

Un jour, Patte-d'Ours se trouvait à la chasse avec trois de ses amis quand ils furent attaqués par le clan des Winnebago. Armé d'un simple couteau, il poussa un effrayant cri de guerre et chargea seul l'ennemi. Il tua deux Winnebago et dispersa le reste de la troupe. À la suite de ce combat, Patte-d'Ours ne tint plus en place, il se mit à provoquer toutes les tribus vivant aux alentours.

Excédées, les tribus ennemies lui expédièrent leurs meilleurs guerriers. Mais Patte-d'Ours les mettait en pièces. C'est à peine si, parmi eux, un ou deux pouvaient en réchapper. Il leur coupait le nez, les mains, les oreilles et les renvoyait chez eux en déclarant :

– Dites aux plus valeureux de chez vous qu'ils viennent m'affronter. Patte-d'Ours se refuse à combattre des femmelettes.

Le nombre des ennemis augmenta et les Meckwakihag ne connurent plus de paix. Leurs ennemis se liguèrent et attaquèrent leur village sans répit pour anéantir le trop fameux Patte-d'Ours.

Les Meckwakihag tentèrent de calmer l'homme irascible. Ce fut en pure perte. Patte-d'Ours répondit :

– Laissez-moi encore écraser toute la tribu des Dakota, que nos chiens aient quelques os à ronger.

Et bien sûr, arriva le moment où les nations des environs s'allièrent et décidèrent d'exterminer les Meckwakihag une fois pour toutes.

On venait d'entrer dans la Lune-des-Frimas. Une jeune fille cueillait des baies tardives dans la forêt lorsqu'elle vit passer cette forte troupe. Les hommes parlaient toutes les langues. Le cri de guerre des Sioux résonnait comme l'appel du loup ; celui des Cheyenne imitait le chant lugubre du hibou et celui des Menominee présageait la mort comme le hurlement du coyote.

La jeune fille courut alerter les Meckwakihag et tous se barricadèrent à l'intérieur du village.

Bientôt, l'ennemi arriva et, encerclés, les Braves de Patte-d'Ours firent front de partout. Mais chaque jour, Patte-d'Ours exécutait des sorties et laissait derrière lui des jonchées de cadavres.
Toutefois, les Meckwakihag subissaient des pertes sévères. Les hommes les plus âgés durent se porter à l'attaque. Et puis vint le tour des enfants...
Comme les gens commençaient à s'inquiéter, le sorcier déclara :
– Tant que la terre restera brune, Patte-d'Ours sera invincible.
– Entendez-vous ce vieux radoteur ? s'écria Patte-d'Ours en riant. Comment la terre pourrait-elle changer de couleur ?
– Cela ne peut continuer ainsi ! déclara le sorcier. Sous peu, nos femmes devront combattre. La honte est tombée sur nous. Nous devons fuir pour apaiser l'ennemi.
Patte-d'Ours ne fut pas de cet avis. Néanmoins, la nuit suivante, le sorcier joua de son tambour-médecine [1]. L'ennemi l'écouta et s'endormit. Les Meckwakihag sortirent du village sans subir de nouvelles pertes, et traversèrent les lignes ennemies.
Mais la neige se mit à tomber. Et à mesure qu'elle recouvrait le sol, Patte-d'Ours sentait ses forces décliner.
Enfin réveillé, l'ennemi se lança à la poursuite des Meckwakihag... Ceux-ci avançaient courageusement dans la haute neige ; jusqu'au jour où Patte-d'Ours se sentit envahi par une grande fatigue. Il s'arrêta enfin et dit à ses hommes :
– Fuyez, vous autres ! L'ennemi ne veut que moi. Je vais m'arrêter ici et me laisser attraper. Le soleil ne peut plus faire fondre la neige ; la terre n'est plus brune et je ne peux plus combattre.
Ayant dit, il brisa son arc et ses flèches. Les Meckwakihag l'abandonnèrent donc à son triste sort et reprirent leur marche.
Patte-d'Ours fut fait prisonnier et emmené chez les Sioux. Nombreux furent-ils à venir contempler le guerrier si longtemps redouté.

1. Tambour-médecine : tambour magique.

Mais Patte-d'Ours n'était plus que l'ombre de lui-même. Il criait :
– La terre n'est plus brune ! J'ai perdu ma force et il ne me reste plus qu'à mourir. Amis Sioux, préparez-moi une belle mort!
Alors, pour accéder à son désir, les Sioux l'assirent sur des pierres brûlantes et posèrent sur sa peau des charbons ardents. Ils suspendirent ensuite autour de son cou des haches chauffées à blanc. Malgré cela, ils n'arrivaient pas à lui arracher un cri de douleur. Au contraire, Patte-d'Ours riait aux éclats et disait :
– Quel beau collier vous m'avez fait ! Avez-vous d'autres bijoux à m'offrir ?
Les Sioux décidèrent donc de le jeter au milieu d'un grand feu. Mais Patte-d'Ours marcha dessus et l'éteignit avec la plante de ses pieds. Et les supplices continuèrent sur les demandes réitérées de Patte-d'Ours.
Ils durèrent jusqu'à la Lune-de-l'Herbe-Verte. À l'aube de ce dernier matin, tous ceux dont le Meckwakihag avait tué un parent se placèrent devant lui et tirèrent des flèches de toutes parts. Patte-d'Ours ressembla très vite à un porc-épic. Les autres tirèrent et tirèrent pendant des jours et des jours… Ils lançaient encore des traits que Patte-d'Ours était déjà mort.
Puis la neige cessa de tomber et fondit sur le sol. Les oies sauvages passèrent dans le ciel, prémices des douceurs de la Belle-Saison.

POUR ALLER PLUS LOIN

Chez le Peau-Rouge, le nom revêt une grande importance. À sa naissance, le nourrisson reçoit une âme sous la forme d'un nom. Ce nom est sacré, et jamais il ne le divulguera. À son adolescence, il acquiert le nom qu'il a mérité : un trait marquant de sa personnalité, de son caractère qui met en valeur ses aptitudes, ses connaissances… Adulte, il sera qualifié selon ses hauts faits guerriers, ses prouesses à la chasse, ses bontés ou bien sa lâcheté et sa déchéance.

L'HOMME QUI POSSÉDAIT UN PHILTRE D'AMOUR

ILLUSTRÉ PAR FABRICE TURRIER

LÉGENDE DE LA TRIBU DES PIEGAN

10 MINUTES

POUR SE VENGER D'UN AMOUREUX

Il était une fois un homme appelé Baume-d'Été. Dans sa jeunesse, il avait vécu chez les Kree et en avait rapporté une puissante médecine. Chacun connaissait l'existence de ce pouvoir magique, mais personne ne savait en quoi il consistait.

Quand Baume-d'Été eut vu tomber un peu plus de dix-huit neiges, il ne manifesta aucun désir de se marier. Les gens de la tribu s'en étonnèrent car il était si bon chasseur, qu'il aurait pu nourrir trois ou quatre femmes.

Un jour pourtant, les habitants du village dirent :

– Savez-vous la nouvelle ? Une jeune fille vit sous la tente de Baume-d'Été !

C'était vrai. Mais hélas, la fille n'y resta que le temps de trois soleils. Une autre prit sa place. Puis cette dernière s'en alla à son tour. D'autres femmes la remplacèrent. Si bien que les gens du village murmurèrent :
– Avez-vous vu comment les filles défilent sous son tipi ? Baume-d'Été est bien difficile, il n'arrive pas à se décider à garder une femme.
Jusqu'au jour où un père dit à sa fille :
– Tu as passé trois nuits chez Baume-d'Été et il n'est pas venu te demander en mariage. Aurais-tu été impolie avec lui ?
– J'ai été d'une parfaite correction avec ce jeune Brave, répondit la jeune fille.
– Dans ce cas il ne va pas manquer de t'épouser. Quand compte-t-il le faire ?
La jeune fille répondit :
– Oublie mon séjour sous la tente de Baume-d'Été, mon père. Il n'a jamais pensé à m'épouser et n'a jamais réclamé ma présence. C'est moi qui suis allée le rejoindre de mon plein gré.
Le père ne comprit pas sa fille. Il songea : « Ce Baume-d'Été a ensorcelé mon enfant. » Plusieurs mères s'écrièrent :
– Pourquoi prend-il nos filles et les rejette-t-il comme des mocassins usés ? Tout cela n'est pas normal !
Et le bruit courut à travers le village que Baume-d'Été attirait les filles sous son tipi grâce à un pouvoir magique rapporté de chez les Kree. Quelqu'un déclara même un soir, au feu du conseil :
– Baume-d'Été est la honte de la tribu. Il faut le tuer. Il ne peut plier ainsi nos filles à son bon vouloir.
Le sorcier haussa les épaules.
– Qu'avez-vous à lui reprocher ? Vos filles vont à lui sans qu'il ait besoin de les appeler. Est-ce sa faute si elles sont toutes amoureuses de lui ?
Et cela continua de la même façon.
Jusqu'au jour où une jeune fille nommée Bruit-Furtif-Agréable passa quatre nuits sous la tente de Baume-d'Été. Son fiancé, Presque-un-Chien, décida de se venger.

Il rendit visite à Bruit-Furtif-Agréable et lui demanda :
– Pourquoi as-tu séjourné chez Baume-d'Été ?
– Je ne sais pas, répondit la jeune fille. Je suis passée devant son tipi et j'ai senti un charme m'envahir. Je suis entrée sans pouvoir m'en empêcher et j'y suis restée. Cet homme possède un philtre d'amour, il me l'a montré. Il s'agit d'un petit sac de peau fixé à un lacet. Il est suspendu à un montant de sa tente.
Presque-un-Chien se dit : « Je dois absolument dérober ce sac-médecine et le brûler, sinon nos jeunes fiancées ne connaîtront plus de paix. Mais comment faire ? Aucun homme ne peut pénétrer sous la tente de Baume-d'Été. »
Presque-un-Chien alla voir le sorcier et lui conta toute l'affaire. Celui-ci lui dit :
– L'idéal serait de te changer en femme. Une seule personne, à ma connaissance, a le pouvoir de réaliser une telle transformation. Il s'agit du Vieil-Homme, mais il habite trop loin pour que tu puisses le consulter, tu mourrais en route. Le Vieil-Homme est décédé voici cinq lunes et il vit maintenant au ciel.
– Alors que puis-je faire, d'après toi ?
– Si tu ne peux aller à lui, il peut en revanche venir à toi. Évoque-le ce soir puissamment et essaie de t'entretenir avec lui au cours d'un rêve.
Comme la nuit tombait, Presque-un-Chien rejoignit sa tente.

Il se concentra fortement sur le Vieil-Homme et s'endormit.
Au milieu de la nuit, une face toute ridée apparut à Presque-un-Chien. Celui-ci l'interrogea :
– Qui es-tu, vieux bonhomme ? Tu parais très âgé.
– Je suis le Vieil-Homme, répondit le fantôme. Il paraît que tu as besoin de moi.
– Le sorcier m'a affirmé que tu avais le pouvoir de me changer en femme.
– Je le peux en effet. Toutefois, je ne te conseille pas une telle transformation. Les jeunes femmes sont des êtres bizarres et, par la suite, tu pourrais regretter ton ancienne condition d'homme.
– Change-moi en femme pour une seule nuit, implora Presque-un-Chien. Je dois m'introduire dans le tipi de Baume-d'Été afin de lui dérober son sac-médecine.
– Soit ! dit le Vieil-Homme. Du haut du ciel j'ai vu ce qui vous arrive et je veux bien vous aider. Néanmoins, tu ne seras femme qu'une seule et unique nuit. Au matin, tu reprendras ton apparence d'homme.
Presque-un-Chien offrit un peu de tabac au Vieil-Homme pour le remercier. L'être surnaturel le fuma et disparut.
Dans la deuxième partie du jour qui suivit ce songe, Presque-un-Chien se sentit brusquement tout drôle. Il se contempla dans l'eau du ruisseau et vit qu'il était devenu une jolie jeune femme.
Il se dit : « Le moment est venu. Allons rôder autour du tipi de Baume-d'Été. »
Parvenu devant la tente, une force irrésistible le poussa à y entrer. Baume-d'Été sembla surpris. Il interrogea :
– Qui es-tu ? Je ne t'ai jamais rencontrée dans ce village et je n'attendais personne.

Presque-un-Chien répondit :
– Je suis une étrangère. Je passais devant chez toi et j'ai eu envie de te voir. Je m'appelle Vent-du-Soir.
Alors il se passa une chose étrange. Un si fort attrait émanait de Vent-du-Soir que Baume-d'Été y succomba. Il invita la jeune fille à partager son repas.
Lorsqu'ils eurent fini de manger, Baume-d'Été dit :
– Je ne veux plus rencontrer d'autre femme, c'est toi que je veux épouser. Reste ici, tu seras heureuse avec moi, je te serai fidèle.
– J'accepte à une condition, répondit Vent-du-Soir. On prétend que tu possèdes un charme magique. Apprends-moi en quoi il consiste.
– Mon philtre d'amour est dans ce sac que tu vois pendu là, expliqua Baume-d'Été. Il contient deux racines, une mâle et une femelle. Il me suffit de les réunir avec le cheveu d'une femme pour qu'elle devienne amoureuse de moi et me rejoigne. Si elle ne le faisait pas, elle tomberait gravement malade et en mourrait. Lorsque je suis fatigué de celle qui est tombée en mon pouvoir, je délie les racines et brûle le cheveu. Alors, la femme s'éveille comme au sortir d'un rêve et, toute honteuse, retourne chez elle.
Vent-du-Soir passa la nuit sous le tipi de Baume-d'Été. Un peu avant l'aube, il s'éveilla et sentit une grande force l'envahir. Il pensa : « Je suis en train de redevenir un homme. Baume-d'Été dort encore, il ne faut pas qu'il s'aperçoive de ma transformation. »
Presque-un-Chien subtilisa prestement le sac-médecine, arracha un cheveu à Baume-d'Été et courut offrir le tout à sa fiancée, Bruit-Furtif-Agréable.
Quand Baume-d'Été s'éveilla, il avait oublié la femme qu'avait été Presque-un-Chien et ne pensait plus qu'à Bruit-Furtif-Agréable. Il songea : « Comment ai-je pu me séparer d'une femme aussi attrayante que Bruit-Furtif-Agréable ? Je vais lui offrir des cadeaux et la prier de m'épouser. »
Il se rendit chez la jeune femme et lui déclara :
– C'est toi que j'aime, Bruit-Furtif-Agréable. Accepte mes présents et deviens ma femme.

Mais la jeune fille ne l'écouta pas et Baume-d'Été s'en retourna, penaud. Les jours suivants, on le vit tourner en rond autour du tipi de la belle. Chacun s'en étonna et les vieilles remarquèrent :
– C'est bizarre. Avant, il ne regardait aucune femme et voici maintenant qu'il glousse comme un dindon dans les jupes de Bruit-Furtif-Agréable.
Lorsque, sous un prétexte ou un autre, Baume-d'Été voulait entrer dans la tente de Bruit-Furtif-Agréable, elle le chassait à coups de pierres. Dès que la jeune femme allait chercher de l'eau à la rivière, Baume-d'Été la suivait et voulait porter ses outres. Mais Bruit-Furtif-Agréable criait à la ronde :
– Vous tous ! J'ai trouvé un chien fidèle, il ne veut plus quitter mon ombre !
Les gens riaient et disaient :
– Avez-vous vu comme elle le traite ? Jamais elle n'épousera cet homme. Il ferait mieux de renoncer.
Le père de Bruit-Furtif-Agréable était au courant de l'intervention du Vieil-Homme et de celle de Presque-un-Chien. Il dit à sa fille :
– Ne crois-tu pas qu'il est temps de libérer ce malheureux du charme qui le lie à toi ? Brûle donc son cheveu et les deux racines. Il a assez expié.
– Il n'a pas encore assez souffert, répondit Bruit-Furtif-Agréable. Je veux qu'il regrette pleinement ses agissements passés.
L'état de Baume-d'Été empirait de jour en jour. Tout voué à son amour, il ne mangeait plus et dépérissait d'inquiétante façon. Il restait prostré du matin au soir devant la tente de Bruit-Furtif-Agréable et offrait un spectacle pitoyable.
C'est alors que les habitants du village commencèrent à chuchoter :
– Ce n'est pas humain de laisser un homme se démoraliser ainsi. Il a commis des fautes, c'est vrai ! Mais il vaudrait mieux abréger sa pauvre vie.
Bruit-Furtif-Agréable fut touchée par ces propos. Un matin, elle clama bien haut :
– Je vais mettre fin à ses tourments ! D'ici peu, vous ne verrez plus Baume-d'Été pleurer devant ma tente.

Elle ouvrit le sac-médecine, prit le cheveu du jeune homme et l'enroula autour d'un ver de terre. Celui-ci s'introduisit dans un trou et disparut dans le sol.

Baume-d'Été se mit alors à suffoquer. Il se tordit tel un ver toute la journée et mourut dans la soirée.

Bruit-Furtif-Agréable alla voir Presque-un-Chien et lui dit :

– J'ai brûlé les racines que tu m'avais données. Je peux maintenant t'épouser.

Presque-un-Chien pensa : « Cette femme est terrible dans ses vengeances, j'aurais bien trop peur d'en faire mon épouse. »

Et il partit pour une contrée lointaine.

Bruit-Furtif-Agréable ne trouva jamais un autre mari et vécut seule toute sa vie.

Certains aujourd'hui disent qu'elle est morte et d'autres prétendent qu'elle vit encore.

LE VIEUX SOUFFRETEUX

ILLUSTRÉ PAR MURIEL KERBA

LÉGENDE DE LA TRIBU DES IROQUOIS

7 MINUTES

POUR APPRENDRE À SOIGNER

Penché sur la grosse branche d'un érable, un écureuil se changea en vieil homme.

Six chasseurs sortirent des fourrés. Chacun d'eux portait un gros morceau de viande. Le vieillard se posta devant eux et se lamenta :
– Voyez comme je suis fatigué. Et j'ai froid, le vent passe à travers les trous de mes habits. Je dois gagner mon village pour me reposer. Aidez-moi, vous qui êtes vaillants et forts.
Les chasseurs rirent et passèrent leur chemin sans l'écouter.
Le vieux bonhomme se traîna derrière eux. Les chasseurs portaient des raquettes à neige, et comme le vieux n'en avait pas, il fut bien vite distancé. À la nuit tombée, il parvint dans un village. Tous les wigwams étaient fermés, mais les volutes qui s'échappaient par les trous à fumée

annonçaient que leurs habitants faisaient du feu. Le vieillard se présenta au premier abri et gémit d'une voix plaintive :
– Le gel blanchit la piste et aucun chien n'est dehors. J'ai faim et je me contenterai d'un os à ronger.
Une voix répondit :
– Tu nous importunes, vieux grigou ! Nos os nous servent à faire du feu et si nous te laissions entrer, tu risquerais de donner des puces à nos chiens.
Le vieux se dirigea alors vers le deuxième wigwam et recommença à se lamenter :
– Ayez pitié, je suis fatigué et je ne pourrai aller plus loin. Mes pieds sont gelés car les loups ont dévoré mes mocassins.
Une voix répondit :
– Nous n'avons pas de place pour un mendiant, poursuis ta route. Vois-tu que tu aies la gale et que nous l'attrapions ?
Aux autres wigwams, on le chassa encore. Mais lorsqu'il parvint au dernier abri, à l'orée du village, la peau d'un wigwam se souleva d'elle-même. La jeune fille qui l'habitait lui dit avec un sourire engageant :
– Tu vas prendre froid, vieillard. Entre vite et viens t'asseoir près du feu. Je vais te servir une soupe bien bouillante.
Il s'installa sur une peau de chèvre, mangea à satiété et demanda à la jeune fille :
– Comment t'appelles-tu ?
– On me nomme Mi-Ti-Li. Dans notre langue ce nom signifie : Celle-qui-n'a-Jamais-Connu-Aucun-Homme.
Plus tard, comme la Lune-Mordue montait dans le ciel, Mi-Ti-Li déposa une grande peau de bison sur le sol et invita le vieux à s'y allonger.
– Dors, maintenant. Demain, je te confectionnerai des mocassins fourrés.
Au matin, le vieillard décréta :
– Comment pourrais-je me lever ? Mes jambes sont aussi raides que les branches de l'érable et ma peau pèle comme l'écorce du bouleau.
Sans doute vais-je mourir, néanmoins tu peux me guérir.

– Comment ferais-je ? s'étonna Mi-Ti-Li. Je ne sais pas soigner les malades.
– Va dans la forêt et rapportes-en la plante qui a des pétales jaune et bleu. Tu l'écraseras avec un pilon dans un mortier. Si tu me donnes le suc à boire, j'irai beaucoup mieux.
Mi-Ti-Li s'exécuta scrupuleusement. Le vieux avala la médecine et recouvra la santé.
Hélas, le lendemain, le vieillard se plaignit encore :
– Comment pourrais-je quitter ce wigwam ? J'ai la tête en feu, mon front est brûlant et mes yeux n'y voient plus.
– Aurais-tu attrapé une autre maladie ? s'inquiéta la jeune fille.
– Sans aucun doute. Mais rassure-toi, je crois qu'il te sera facile de me soigner. Retourne dans la forêt. Tu y trouveras un petit buisson dont les chenilles ne mangent jamais les feuilles. Celles dont nous avons besoin sont jaunes d'un côté et l'envers est d'un beau blanc velouté. Tu en feras une tisane et je la boirai.

Mi-Ti-Li suivit à la lettre les directives du vieux. Il but le breuvage et guérit instantanément.
Mais le lendemain encore, avant que le hibou ait salué la lune, le vieux rechuta et son état ne s'améliora pas. À peine était-il débarrassé d'une maladie qu'une autre surgissait aussitôt.
Il avait mal aux pieds, au foie, au cœur, perdait ses cheveux et ses dents, toussait, respirait mal, crachait, avait des vertiges. Et Mi-Ti-Li courait de la forêt à la hutte et de la hutte à la forêt afin d'y récolter des plantes nouvelles.
Elle passait ses nuits à piler, à moudre, à diluer. Elle fabriquait des pommades, des onguents, des emplâtres et des sirops. Et plus elle se dépensait, plus le vieux était malade ; ses oreilles bourdonnaient, ses lèvres se boursouflaient, ses yeux pleuraient et ses os se cassaient.
Durant toute une neige, les gens de la tribu la regardèrent travailler et finirent par chuchoter :
– Pourquoi Mi-Ti-Li perd-elle son temps à soigner ce vieillard souffreteux ? Elle ferait mieux de le laisser mourir. Ce n'est pas en se dépensant ainsi qu'elle trouvera le temps de séduire un beau jeune homme et qu'elle se mariera.
Quand apparut la Lune-des-Cerises-Rouges, le vieux sembla se porter mieux. Ses maladies s'espacèrent et devinrent moins graves.
Un matin, il annonça à Mi-Ti-Li :
– Je sens que je vais me rétablir. Te souviens-tu des plantes que tu as cueillies pour chacune de mes maladies ?
– J'ai gravé tout cela dans ma mémoire, affirma la jeune fille.
– En conséquence, tu es maintenant capable de soigner une personne qui serait atteinte des maux dont j'ai souffert ?
– Oui, dit Mi-Ti-Li, à condition que ces gens aient les mêmes que toi, vieillard.
– Eh bien, je les ai toutes eues, annonça le vieux avec un sourire malicieux. Maintenant, tu connais toutes les médecines utiles à soulager les hommes.

Cependant, pressentant que le bonhomme n'était pas un être ordinaire, Mi-Ti-Li lui demanda :
– C'est inimaginable ! Qui es-tu donc pour avoir survécu à ces nombreux fléaux ?
– Aujourd'hui, je puis bien te le dire, avoua le vieux honnêtement. Je suis un Manitoo [1].
À cet instant, il redevint un écureuil et s'enfuit du wigwam.
Dans les jours suivants, les habitants des wigwams voisins vinrent la consulter.
L'un disait :
– Vois, ma jambe est toute tordue.
L'autre annonçait :
– Regarde, je me suis blessé la main en coupant du bois.
Un autre encore se lamentait :
– Je ne cesse de me tordre. J'ai mal au ventre, des grenouilles dévorent mes boyaux.
Lorsque les six chasseurs se présentèrent en geignant, la jeune fille leur demanda :
– Il me semble vous reconnaître. N'avez-vous pas refusé de secourir un vieillard qui réclamait votre aide ?
– Si, c'est nous, reconnurent les chasseurs.
– Dans ce cas, je vous soignerai à condition que vous alliez dans la forêt chercher les plantes dont j'ai besoin.
Ils le firent en bougonnant et n'eurent pas à le regretter. Au fil des jours, la jeune fille continua à soigner les malades qui venaient à elle.
Un soir, alors qu'elle allait se laver à la rivière, les six chasseurs l'abordèrent.
L'un d'eux lui dit :
– Nous avons décidé de te prendre pour femme. Fais ton choix, l'un d'entre nous ne chassera plus que pour toi.

1. Manitoo : c'est le nom que l'on donne au Grand-Esprit (ou Être-Éternel), celui qui a créé l'Univers, dans la tribu des Pieds-Noirs. Chez les Sioux, on l'appelait Wakanda.

La jeune fille éclata d'un rire gai :
– Auriez-vous changé ?
– Ne nous as-tu pas montré qu'en faisant le bien nous avions plus de chances de gagner le Pays-des-Chasses-Éternelles ?
– Alors mon choix est fait, décida Mi-Ti-Li. Je vous épouse tous les six à la fois !
Et comme la jeune fille recevait trop de nourriture, elle en distribua aux veuves, aux orphelins, aux indigents et aux vieux du village. Elle prit encore l'habitude de ne plus se rendre dans le bois. Ses six époux furent chargés d'y aller pour elle. Pendant ce temps, un écureuil perché sur la branche d'un érable semblait se moquer d'eux.

LES MONSTRES D'AILLEURS

ILLUSTRÉ PAR CHRISTIAN GUIBBAUD

LÉGENDE DE LA TRIBU DES TLINGIT

9 MINUTES

POUR FAIRE DU TROC AVEC DE PETITS MONSTRES

L'événement se produisit en une contrée désolée, située entre le soleil et la lune. À cette époque, les ouragans cessaient de gronder et les vents reprenaient leur souffle derrière les nuages. Pour les Tlingit de la région Li-Tu-Ya, le moment était venu, et ils se préparèrent comme ils le faisaient une fois par génération.

Au tout début de la Lune-des-Cerises-Rouges, au commencement de la Belle-Saison, les notables de la tribu se réunirent et convinrent qu'il était grand temps d'aller chercher du métal jaune. Les traîneaux à neige et les chiens d'attelage furent groupés en vue de l'expédition.

Les jeunes choisis étaient tous inexpérimentés et faisaient le voyage pour la première fois. En fait, ils ignoraient exactement où se trouvait la mine et ne savaient comment y parvenir.

Le sorcier, Nuit-Obscure, un homme courageux, mais presque aveugle, fut désigné pour conduire le convoi.
Ce sage, ridé telle l'écorce d'un cèdre rouge, n'avait nullement besoin de ses yeux pour mener l'opération à bien. Il se souvenait parfaitement de la direction qu'il fallait prendre, du chemin à emprunter, des nombreuses embûches qu'il recelait, des rivières et des lacs à traverser, des montagnes à escalader, des bandes de loups qu'il fallait éviter et de tous les autres dangers que l'expédition allait devoir affronter.
Lorsque chacun fut prêt, Nuit-Obscure ordonna le départ. Les chiens tirèrent sur les harnais, les traîneaux glissèrent sur la neige et les hommes suivirent en poussant des cris afin d'éloigner les Mauvais-Esprits de la piste.
Après quatre lunes de marche, la petite troupe parvint en un lieu occupé par un vieillard. Cet ermite habitait au fond d'une grotte avec un ours.

Depuis la création de la terre, il vivait loin du monde, loin des siens, passait sa vie à méditer. Mais comme, depuis la dernière expédition, la nature avait recouvert de glace le sommet des montagnes, changé le cours des rivières et la forme des lacs, Nuit-Obscure ne reconnut pas le tracé qu'il avait suivi jadis. Il interrogea l'ermite.
– Sais-tu, grand-père, où se trouve la mine de cuivre ? Je me fais vieux et je crois bien m'être égaré.
L'ermite apaisa son ami l'ours, qui venait de se réveiller, et expliqua à l'étranger en indiquant une haute colline :
– J'ai entendu dire que l'on trouvait du cuivre derrière cette hauteur. Mais faites attention à ne pas rencontrer le Mauvais-Génie-des-Eaux. Il est actuellement en compagnie de son proche parent, Tempête-du-Nord. Ces deux-là se plaisent à effrayer les étrangers avant de les changer en pierres. La troupe s'apprêta à se remettre en marche, mais l'ermite dit encore :
– Par ailleurs, évitez aussi le corbeau noir à ailes blanches. C'est un malfaisant qui pourrait bien vous détruire.
Nuit-Obscure remercia l'ermite, caressa l'ours et lui offrit du tabac. Puis, les hommes de l'expédition se couvrirent le visage avec des masques pour ne pas être reconnus par les deux malfaisants.
La petite troupe repartit. Mais, à un détour de la piste, elle rencontra Mauvais-Esprit-des-Eaux et son cousin. Ce dernier s'aperçut de la supercherie et demanda innocemment à son parent :
– Tiens, serait-ce des étrangers désireux de se faire changer en pierres ?
– Non, non, s'empressa de formuler Nuit-Obscure. Nous sommes des gens comme vous. Nous ne faisons que passer et allons à la mine de cuivre. Savez-vous si elle est encore loin ?
Mais Tempête-du-Nord venait de déjouer la ruse. Il se tourna vers son proche et lui adressa un sourire complice :
– Suivez-nous. Mauvais-Esprit-des-Eaux et moi avions justement l'intention de visiter l'endroit. Seuls, vous ne pourriez pas trouver la mine, elle est située à l'opposé d'une grande étendue d'eau.

Confiante en ces paroles anodines et rassurantes, la petite troupe, heureuse de ne pas avoir été transformée en pierres, reprit la piste.
Après une lune de marche, les Tlingit et leurs guides parvinrent en vue de la mer.
À ce moment, Nuit-Obscure ne sentit plus la présence des deux parents. Il pensa : « Sans doute avaient-ils une occupation plus urgente ailleurs. » Nuit-Obscure n'osa pas songer que les deux compères s'étaient éclipsés volontairement et ne chercha pas à élucider la raison de leur départ.
L'équipe reprit sa progression et arriva finalement dans une anse que formaient la côte et la mer. Nuit-Obscure se fit décrire l'endroit et déclara :
– Je crois me souvenir que la mine de cuivre se trouve en effet au bord d'une grande étendue d'eau. Cherchez partout, vous finirez par la trouver.
Ses compagnons furetaient aux alentours depuis trois lunes quand ils découvrirent entre les pentes abruptes de la baie un énorme corbeau noir. Ailes déployées, il semblait prendre son bain au milieu des vagues.
– A-t-il des ailes blanches ? s'enquit Nuit-Obscure.
– Oui, déclarèrent ses compagnons.
– Dans ce cas, méfions-nous. Il doit s'agir du Mauvais-Esprit dont nous a parlé l'ermite. Attaquons-le et tuons-le avant qu'il n'ait fini de se prélasser dans l'eau.
Les hommes coururent jusqu'à une proche forêt et entreprirent de couper des arbres. Dans les troncs, ils fabriquèrent des canoës et des pagaies. Avec l'écorce, ils se confectionnèrent des armures et firent des arcs et des flèches dans les branches...
Quand l'équipe fut prête à attaquer l'ignoble corbeau noir, les hommes montèrent dans les canots et les pagayeurs se dirigèrent dans sa direction. Mais lorsqu'ils parvinrent à une courte distance du volatile, ils virent apparaître des trous dans ses flancs. Des éclairs fulgurants en jaillirent et des gerbes d'eau éclatèrent autour des canoës. Effrayé par les grondements venant de l'oiseau et les cris que poussaient les hommes, Nuit-Obscure ordonna aux pagayeurs de revenir sur la grève.

Mais, à ce moment, une boule de feu traversa sa poitrine et il mourut sur-le-champ. Les coureurs les plus agiles regagnèrent le village pour donner l'alerte.
À l'annonce de leur récit, l'inquiétude s'empara des gens de la petite communauté. Mais un sage, nommé Vent-du-Matin, calma les esprits en annonçant :
– Cet oiseau est sans doute invulnérable et ça n'est pas avec nos armes que nous pourrons l'abattre. Allons plutôt lui offrir des présents pour le calmer.
Les Tlingit amassèrent alors de la nourriture et des outres d'eau potable. Lorsque Vent-du-Matin estima qu'il y en avait suffisamment, il déclara :
– Retournons voir ce monstre et surtout gardons notre calme. Nous allons lui proposer de faire du troc, peut-être acceptera-t-il.
Un nouvel envoi se forma instantanément. Arrivés au bord de la baie, les Braves retrouvèrent les restes de Nuit-Obscure que les loups avaient épargnés. Ils lui offrirent une sépulture et récupérèrent les canoës que la première troupe avait laissés sur place.

Les pagayeurs peinèrent durant toute une lune du fait qu'une tempête venait de se lever. Quand, enfin, les éléments se calmèrent, les hommes distinguèrent l'oiseau noir aux ailes blanches tranquillement installé sur les flots.
– Voyez ! clama Vent-du-Matin, le monstre est paisible maintenant qu'il a pris son bain. Approchons-nous. Il va voir nos riches présents et acceptera sans aucun doute de faire du troc avec nous.
Les pagayeurs gagnèrent le flanc du corbeau noir en chantant des litanies apaisantes. Lorsqu'ils parvinrent près de lui sans avoir connu d'incident et qu'ils s'apprêtèrent à monter sur son dos, ils s'aperçurent qu'il ne s'agissait pas d'un animal mais d'un énorme canoë.
Ils l'escaladèrent et montèrent à bord.
Là, d'autres monstres, plus petits, les attendaient. Ces gens, beaucoup plus inquiétants que le corbeau noir, avaient tous une allure bizarre.
Leurs faces poilues et blafardes offraient une apparence repoussante. Ils portaient des vêtements, des mocassins et des parures de tête en métal. Ils parlaient une langue étrangère que les Tlingit ne connaissaient pas. Néanmoins, ces derniers comprirent que les étranges créatures venaient de l'autre côté de l'Eau-qui-Pue-de-l'Est. Elles devaient d'ailleurs avoir grand-faim et la soif devait les dévorer car elles acceptèrent d'échanger des présents.
Après un soleil, les Tlingit regagnèrent leurs embarcations et revinrent dans leur village. Ils rapportaient les récipients qu'ils avaient troqués avec les étrangers.
Les femmes s'empressèrent de faire cuire des aliments dans ces nouveaux ustensiles. Mais au moment de les absorber, les Tlingit dirent que cette bouillie malsaine avait un goût affreux et ils durent la recracher. Et comme d'autres personnes déclarèrent qu'elle contenait de gros vers blancs, Vent-du-Matin la distribua aux Mauvais-Esprits qu'il connaissait.
Bien lui en prit car, après qu'ils eurent mangé, ils moururent et disparurent à tout jamais.

C'est pourquoi, de nos jours, les Tlingit ne craignent plus les Mauvais-Esprits et refusent les aliments qui n'ont pas cuit dans des récipients fabriqués dans de l'écorce ou du cuir de morse.

POUR ALLER PLUS LOIN

Plusieurs récits extraits des légendes des Peaux-Rouges préfigurent la venue de l'Homme-Blanc dans le nord du continent. L'un d'eux, conté dans une tribu de la côte nord-ouest du Canada (Indiens Tlingit), offre des similitudes avec la rencontre d'un navigateur français, en 1786, le comte de La Pérouse. Le plus étonnant de ce récit concerne le lieu où survint l'événement. La légende dit qu'il se passa en un endroit cosmique quelque part dans le système solaire, entre l'astre du jour et celui de la nuit, en un village nommé Waw-Nu-Wu, niché au creux d'une anse appelée Li-Tu-Ya. Or, les Tlingit emploient ces mêmes noms pour désigner leur lieu d'implantation et la baie qui l'abrite aujourd'hui encore !

Compte et raconte

Par ordre d'apparition

Oncle

Original

Ours

Outre

Père

Porc-épic

Raton laveur

Renard

Sage

Sapin

Serpent

Sœurs

Sorcier

Souche

Squelette

Taupe

Tortues

Montre en main

4 minutes

5 minutes

6 minutes

7 minutes

8 minutes

9 minutes

10 minutes

11 minutes

12 minutes

13 minutes

L'APPORT DU CONTE

QU'EST-CE QU'UN CONTE ?

Le conte possède ses critères propres. Il joue avec l'oralité, et existe en tant que récit de fiction.
Cette « littérature orale » s'apparente à des comptines ou des chansonnettes. À la différence que, même si changements de voix, de rythme, de ton peuvent être leurs points communs, le conte tente de retracer un moment dit « vécu ». Il s'agit, à la base, d'une histoire avérée qui court dans la mémoire collective, se transmet, se transforme, se grossit, s'appauvrit…
Le conte peut donc être un récit non figé émergeant d'une histoire véridique. La trame reste la même, mais les modifications se font collectivement, peu à peu… À la réalité, qui attire l'attention de l'auditoire, se mêle le fantastique…
Cependant, Pierre Gripari, dans ses *Contes de la rue Broca*, en 1967, nous dit : « C'est moi, monsieur Pierre, qui parle, et c'est à moi qu'est arrivée l'histoire […]. »
Le conte ne s'inscrit donc pas forcément dans la durée ni dans la transmission générationnelle ; il ne vient pas toujours des temps reculés marqués par « Il y a bien longtemps, par-delà la vallée des Sept-Pierres… ». Le conte peut au contraire être actuel, l'important étant qu'il ne se fige pas et qu'il puisse se transmettre dans la mémoire collective.

LA LECTURE DU CONTE

L'heure du conte, ce n'est pas seulement une histoire que l'on raconte. C'est une ambiance que le conteur va créer autour d'une histoire en particulier. L'auditeur et le conteur sont complices dans le monde du conte, dans une parole à la fois simple (par la structure des phrases, par le vocabulaire) et solennelle. Le ton sera différent selon qu'il s'agit d'une histoire d'animaux, d'un conte à rire, d'un conte merveilleux, mais la façon de dire est toujours importante : il faut veiller à parler lentement et clairement, en ménageant des temps de repos, de silence, qui permettent à l'enfant de « digérer » les événements qu'il vient d'apprendre.
Pour l'enfant, ce ne sont pas des moments de vide mais d'activité mentale : il réfléchit à ce qu'il vient d'entendre, imagine la suite, savoure telle ou telle situation qui l'intéresse particulièrement…
Les histoires sont aussi, pour l'enfant, un moyen d'exercer son intelligence. En les écoutant, il développe sa mémoire auditive et s'entraîne à retenir la structure d'un récit, premier pas vers la lecture intelligente, celle qui consiste à déchiffrer non seulement des signes, mais surtout le sens d'un récit.

LES CONTES AMÉRINDIENS

Mille ans de contes - Indiens d'Amérique du Nord regroupe des contes élaborés à partir de mythes existants (mythes sur la création du monde), ou de légendes traitant de la famille, des rapports conjugaux, des liens entre les hommes et les animaux, des défauts humains, des bons et des mauvais esprits et de la vie en société.

LES SPÉCIFICITÉS DU MYTHE
ET CE QUI LE DIFFÉRENCIE DE LA LÉGENDE ET DE LA FABLE

Tous ont en commun une origine orale, et ceux qui les rapportent se considèrent comme des dépositaires, non comme des auteurs. Ce sont des histoires dont les personnages et les événements sont en partie ou en totalité surnaturels, sans que cela gêne la logique du récit. Toutefois, chaque type de récit a ses caractères propres.

- La **fable** a la particularité d'être courte et à finalité morale. Elle met en scène des animaux et des objets auxquels sont attribuées certaines caractéristiques humaines.

- La **légende** est liée à un personnage (réel ou supposé tel) ou à un lieu réel. Elle explique et valorise l'environnement de celui qui la raconte.

- Le **mythe**, quant à lui, a une structure proche de celle du conte, et on y retrouve le héros, l'objet magique, le mandateur. Mais il se caractérise par sa fonction sociale. D'autre part, les enjeux du mythe dépassent le cadre d'une destinée individuelle. Enfin, le mythe est considéré comme une réalité dans la société où il vit et il impose des rites, des interdits ou des obligations.

LES LÉGENDES AMÉRINDIENNES

Jadis, chez les **Indiens** d'Amérique du Nord, la tradition orale se transmettait le soir autour du feu de camp. Sous forme de légendes, les jeunes apprenaient de la bouche des anciens les règles de la vie et les bases de la philosophie propres à chaque nation.

- Les légendes qui avaient trait aux **Choses-Surnaturelles** n'étaient dites qu'à la nuit tombée. Les étrangers à la tribu, les visiteurs, ne devaient pas les écouter.

- Les autres récits, ceux qui avaient rapport aux **faits de chaque jour**, pouvaient être entendus par tous. Chacun d'eux ne dévoilait pas des secrets identiques.

- Il y avait les légendes constituant **les fondements de l'existence**.

- Et celles qui définissaient les critères des **comportements journaliers**.
Quelques-unes de ces dernières furent recueillies par l'Homme-Blanc. Mais hélas, elles furent presque toujours traduites en dépit du bon sens, ou tronquées pour des

besoins littéraires, ou encore mal comprises, du fait qu'elles échappaient à sa psychologie et heurtaient ses convictions profondes. L'auteur les recueillit dans la langue de chaque tribu, les traduisit scrupuleusement et nous restitue ici, dans un grand souci de fidélité, celles que le Grand-Esprit accepta de divulguer.

BOUCHES À OREILLES

Jadis, ces peuples vivaient sans frontières,
sans États, dans le nord du vaste continent.
Les légendes peaux-rouges font état de lieux
qu'il serait aujourd'hui impossible
de situer sur une carte géographique.

Certains de ces « **pays** », réels ou imaginaires, appartiennent à un temps révolu, peut-être à la mythologie.
D'autres ne sont désignés que par le trait caractéristique d'une montagne ou d'un fleuve. Mais ces légendes relatent toujours des faits, parfois avec humour. Elles sont témoins d'événements passés voici des lustres, du temps où personne n'était là pour les inventer.
Ces « **récits** », ces Messages-des-Ancêtres, ne font jamais appel aux fioritures de style. Ils vont droit à l'essentiel.
Autrefois, les Gardiens-de-la-Tradition contaient déjà ces légendes et, dépouillées au maximum, elles parvenaient aussi bien aux personnes présentes qu'aux générations futures.
Ainsi, transmises au cours des siècles par la bouche des conteurs, elles nous apparaissent dans leur vérité première.

LES AMÉRINDIENS, AUJOURD'HUI

De nos jours, parqués dans des réserves, les Amérindiens ont gardé leur identité et refusent toujours de se laisser assimiler par la société du Visage-Pâle.
Et il en sera de même tant qu'il y aura des Sages pour transmettre aux jeunes le message légué par les ancêtres.
Un monde sépare la culture du Peau-Rouge de celle de l'Homme-Blanc. Pourtant, parfois, dans certaines légendes, des similitudes troublantes laisseraient croire à un moule commun.
Ou bien, lorsque la concordance n'est guère soupçonnable, nous pourrions nous demander si le « civilisé » n'aurait pas intérêt à se rendre aux sources du prétendu « sauvage » afin d'y puiser des valeurs nouvelles.

Mais ceci est une autre légende…

ÉCRIRE ET DIALOGUER

Les Amérindiens pensent que toute chose possède une âme. Dans la plupart de ces contes des Indiens d'Amérique du Nord, on a pu les surprendre en train de converser avec leur propre bras, avec un arbre, une pierre, des animaux et même des fantômes !

CONVERSATION AVEC...

Voici un exercice d'écriture qui peut être fait seul mais qui reste plus agréable et plus stimulant s'il est partagé par une classe ou par un groupe. Une feuille de papier, un stylo : qui sera le premier à écrire un dialogue d'une dizaine de lignes entre un guerrier et son tomahawk, entre un sorcier et son calumet, entre un crâne de bison et l'Oiseau-Tonnerre... ?

– Tout d'abord, il faut déterminer les **éléments** qui seront doués de parole.
– Ensuite, aidez les enfants à en déterminer les **comportements** : est-ce une relation d'égal à égal ? L'un des éléments a-t-il le dessus sur l'autre ?
– L'un peut-il aider l'autre à se mouvoir ? Aiguillez enfin les enfants vers une réflexion sur « qui a plus besoin de l'autre ? » et sur « que proposer en l'échange d'un service (troc) ? ».

Dans le conte intitulé L'Enfant du serpent *(p.120),*
les squaws pratiquent la Danse-des-Amours-Secrets
pour lever le voile sur leurs amour(es) secret(es).
Ainsi la danse, qui a une grande place
dans la vie de la tribu, est généralement pratiquée
pour souder la tribu. Elle permet également
d'invoquer des esprits (bons ou mauvais)
afin d'en attirer les faveurs sur le village entier.

LE CORPS PARLE

Dans un **jeu de mime**, proposez à un enfant de créer une danse pour invoquer la personne qu'il aura choisi. Ses **incantations** ne devront pas nommer directement celui qu'il appelle, mais juste y faire allusion, tout comme l'**attitude physique** adoptée.
Dans le groupe qui assiste à la scène, le premier qui trouvera le nom de la personne pourra prendre la place du sorcier invocateur. Et ainsi de suite.

– Cet exercice met en évidence, au moment de la lecture d'un conte, la nécessaire attitude du conteur pour accompagner l'auditoire dans l'histoire.

Dans une profonde harmonie avec la nature, les Amérindiens connaissent les herbes qui guérissent. Toutefois, le mot « médecine » n'a pas le même sens que celui que nous entendons, mais est plutôt synonyme de « magie ».

RECETTE MAGIQUE

Qui pourra écrire une recette magique comportant tous les éléments suivants en leur donnant des vertus imaginaires pour guérir des maux inventés : plume d'aigle, poudre de corne de bison, souffle du Vent-du-Nord, poil de loutre, queue d'orignal et deux os de squelette, œufs de serpents et herbes sèches ?

– Ce petit exercice ludique pourra servir de préambule à la construction d'une histoire. Il servira alors de base pour définir les éléments qui structurent toute histoire :

- des protagonistes ;
- le lieu ;
- le temps ;
- l'action ;
- et le dénouement.

LE PETIT PLUS

La recherche de vision est un acte spontané chez l'Amérindien qui décèle l'annonce des tournants de sa vie future dans chaque élément et dans chacun de ses rêves.

Le jeu du cadavre exquis peut se rapprocher du rêve éveillé annonciateur de l'avenir. En restant dans le thème des Indiens d'Amérique et en conservant le vocabulaire particulier, proposez aux enfants d'écrire un mot chacun, en suivant l'ordre « sujet - verbe - complément », sur une feuille de papier. Celle-ci sera pliée au fur et à mesure afin de cacher ce qui a été précédemment noté.
Le dernier pourra alors déplier le papier, lire la phrase ainsi créée à haute voix, et proposer sa propre prédiction à l'ensemble du groupe. Qui sera le meilleur Grand-Sorcier de la tribu ?